JN215570

ラストで君は「キュン!」とする

涙の告白
confession of tears

PHP

君には告白したいと思う相手はいるかな？　どうやって告白しようか迷ってる？
そうだ。告白にはいろんな味があることを知っているかい？
愛の告白が甘酸っぱい味しかしないと思っているのなら、それは大きなまちがいだよ。
そもそも味があるなんて信じられない？
それなら、少しだけ教えてあげよう。

長年の片想いに終止符を打つための告白は、ほろ苦い味がするし、
遅すぎた告白は『もっと早く言えばよかった』というしぶい味が口いっぱいに広がる。
思いがけない相手からの告白は、びっくりするほど酸っぱかったり、
二度と味わいたくないほどに、からい味の告白だってあるんだ。

もちろん、とびきり甘い告白だってあるから、怖がらなくていいよ。

しょっぱい涙の味のあとに、チョコレートより甘い味が待ってることもあるからね。
どちらにしても最後まで味わうことを忘れないようにしよう。

ここから先に用意されている十九の物語には、十九通りのいろんな味が隠れているから、ひとつひとつじっくり読みながら味わってほしいな。
そして君自身の告白に備えよう。想いを言葉にして相手に伝えるには勇気がいるから、この物語が背中を押してくれるかもしれない。

さぁ、次はだれが告白する番かな？
君かな？　それともライバルのあの子？
心の準備が整った人から、さぁ、どうぞ。
大丈夫。きっとうまくいくよ。
あとで、どんな味がしたかこっそり教えてね。

contents もくじ

●執筆担当

麻井深雪（p.17～31、75～86、108～115、138～148）
長井理佳（p.32～40、57～61、98～107、149～161、170～178）
萩原弓佳（p.41～48、62～74、87～97、126～131、162～169）
村咲しおん（p.2～3、8～16、49～56、116～125、132～137、179～191）

♥ episode - 01

行列のできる花屋

登り坂を上がりきった場所にその店はある。小さな看板しか出していない店だけれど、どの店だろう？　と探す必要はない。なぜなら行列ができているのは、このあたりではその店だけだからだ。

「プロポーズ成功率百パーセントらしいよ」

「プロポーズだけじゃなくて告白もうまくいくんだよな」

「ケンカした時の仲直りにも効くらしいぞ」

数か月前にフォロワー数の多い客のひとりがＳＮＳに『ここの花束を持ってプロポーズしたら見事に成功しました』と投稿したことで拡散されて噂になったのだ。その後も『僕もプロポーズしたら成功しました！』『告白したらＯＫしてくれました』『他県からわざわざ来たかいがありました！　プロポーズ大成功です！』という投稿が相次ぎ、『プロポーズ成功率百パーセントの花屋』として有名になった。そしてその噂を聞きつけた多くの人で連日にぎわい、行列には男性だけではなく女性も並んでいる。想いを伝えるために、勇気を出すために、みんなここへやってくるのだろう。

　この店の主人は深青という女性フローリストだ。他に店員はいない。どんなに忙しくなっても、深青は客とコミュニケーションをとりながらじっくりと花を選び、花束やアレンジメントを仕上げる。ひとつのオーダーにかける時間が長いことも行列ができる理由のひとつだろう。

「いらっしゃいませ。本日はどのような花束をお望みでしょうか」

「お相手はどのような方ですか？　好きな色は？　どんな服装がお好きな方ですか？」

「おふたりのなれそめは？　どんな思い出がありますか？」

「初デートで行ったレストランでプロポーズなさるんですね？　すてき。そちらはどのようなお店ですか？　ホームページとかありますか？　写真があればぜひ見たいです」

「お花が好きな方なんですね。いつもどんな花を飾られていますか？」

「なるほど、ラナンキュラスがお好きなんですね。色は何色がよろしいでしょうか」

深青はどんな客にも具体的にいろんなことを聞き、ふたりにぴったりな花とリボンを選び花束を仕上げる。中には早くしろと急かす客もいるが、特別な花束をつくってもらうのに、時間をかけてもらうほうが安心だという人のほうが多い。

「深青さんの花を贈ると妻はいつも喜んでくれるんだ。今年も結婚記念日の花束を頼むよ」

帽子をかぶった紳士がそんなオーダーをすることもある。

「奥さまはバラがお好きでしたね。今年はエレンにしましょうか」

一度訪れた客の情報を深青が忘れることは決してない。贈る相手のこともちゃんと覚えているのだ。

「昨日ケンカしてしまった彼女に花束を贈って謝りたい」

という男子高校生もいる。

「その気持ちがあればきっと仲直りできますよ。だから花束にこだわる必要はないと思います。たった一輪でもきっと喜んでくれます。彼女にぴったりの一輪をわたしと一緒に選びましょう」

一輪のガーベラにシルクサテンのリボンを巻いて渡すこともある。たった一輪の花でも深青は決して手を抜くことなく、時間をかけて、心をこめて選ぶ。

「秘密の恋人に贈りたいんだ」

などというあやしげな客もいる。そんな時でも深青はじっくりと時間をかけて話をするが、相手がそれを望まなければ踏みこむこともない。

「では、秘密の意味をもつ花をお選びしましょう」

客は相手の笑顔が見たくて深青の店にやってくる。そして深青は贈る相手だけではなく、訪れた人も笑顔にしたくて一生懸命に花を選ぶ。事実、店から出てくる人はみんな、満足そうに笑っている。だから、行列に並ぶ価値はきっとある。

「いらっしゃいませ」

土曜日の朝、いちばん最初の客はかわいらしい女性だった。三十代の深青よりずいぶんと年下に見える。胸元にはネックレスが光っていた。

「今日、大好きな彼にプロポーズをするので、花束をお願いしたいです」

最近では女性から結婚を申しこむ、いわゆる逆プロポーズもめずらしくない。深青はいつものように心をこめて彼女の求めるものをつくろうと思った。

「そうなんですね。すてきです。彼はどんな方ですか?」

「ふたつ年上の幼なじみです」

「幼なじみ……昔から仲がよかったんですか?」

「そうです。わたしが生まれた時からそばにいてくれて、いつもわたしのことを守ってくれました」

「とても優しい方なんですね」

そう言うと彼女は幸せそうな表情を浮かべた。彼女にとって、その彼が本当に大切な相手なんだということがその表情を見ただけでも伝わってくる。

「優しくて、でも頑固なところもあるんですよ。四つ葉のクローバーを見つけようとして日が暮れてもあきらめなかったり、わたしのために目当てのガチャガチャが出るまで、何時間も粘ったり……」

「そうなんですね。ケンカもするんですか？」

「くだらないことでしょっちゅうケンカします。でも、いつもわたしより先に彼が謝ってくれるんです。あきらかにわたしが悪い時だって、素直になれない性格を知っているから、先に謝っちゃうんですよ。ずるいでしょう？」

「気遣いのある方なんですね。それに、すごくお客さまのことを大切にしているのが伝わってきます。では、いちばん心に残る思い出の景色はありますか？」

「そうだなぁ。ふたりで見た近所の川沿いの桜かな……。あっ、海辺の夕日もきれいだったな。おたがいの家族と一緒に行ったんですけど、彼が桜貝を拾ってわたしにくれて、水平線にしずんでいく夕日をふたりで並んで見たんです。きれいで、でも少しだけさびしくて……そしたら彼がわたしの手をそっと握ってくれました」

深青は彼女からの情報をいつも持ち歩いているメモに書き留めて、花束のイメージを膨らませていく。幼なじみ、優しさ、夕焼けに染まる海、つないだ手の温かさ。何より彼を語る彼女のその幸せそうな表情が深青の心を打つ。

「彼のどんなところがいちばん好きですか?」

「……世界でいちばんのわたしの味方でいてくれるところです」

一瞬、彼女が泣いてしまいそうな表情を見せたような気がしたけれど、すぐに笑顔に戻った。深青は穏やかな彼女の笑顔に、夕凪の海を見た気がした。

「最高のパートナーなんですね。心をこめておふたりにぴったりの花束をご用意いたします」

アングレカム、スターチス、ラナンキュラス、デンファレ、かすみ草……深青はふたりの思い出をイメージして花を選んでいく。仕上げには海を思わせるようなブルーのリボンを巻いた。

「プロポーズが成功することを祈ってますね」

「ありがとうございます」

彼女は宝物を抱くように花束を抱き、深青に一礼して店をあとにした。


坂を下りて、彼女が愛おしそうに花束を抱えて向かった先は、とても静かな場所だった。穏やかな風が吹き、無数に並んだ石のひとつひとつにローマ字で名前が刻まれている。彼女は迷うことなくひとつの石の前で立ち止まり、そっとその花束を置く。

「約束したよね？　わたしが大人になったら結婚しようって」

彼女は彼の名前が刻まれた石に手を添えて話しかける。

「まさかわたしの誕生日を忘れたなんて言わないよね？　今日、十八歳になったの。成人したんだよ。だから、約束を守って」

まわりに人はだれもいない。そのため、彼女の頬が濡れてもそれを気にする人はいない。

「自分は十二歳のままだからっていう言い訳は聞かないからね」

そこに眠っているのは、幼いころに病気で亡くなった大事な幼なじみだ。彼からもらった四つ葉のクローバーは今でも本のしおりにしているし、ガチャガチャで粘って引き当てたおもちゃの指輪も、海で見つけてくれた桜貝もぜんぶ、大事にとってある。

「指輪はもうもらってるから、何も用意してくれなくていいよ」

すでに彼女の指に入らなくなったおもちゃの指輪は、チェーンを通してネックレスにした。今、彼女の胸元でキラキラと美しく光っている。

「プロポーズ成功率百パーセントのお店で買った花束なの。きれいでしょう？　他に何もいらないから、イエスの返事だけちょうだいよ」

彼女の頬から流れ落ちた涙が彼の墓石を濡らす。それをぬぐうように優しい風が吹き抜けた。花束に結んであるブルーのリボンがヒラヒラと揺れる。

『もちろん、大好きだよ』

幼い彼の声が、彼女の耳だけに届いた。

♥ episode - 02

メタバースの恋

画面の中でピンク色の光の粒が弾ける。

それが画面いっぱいに広がると、光の中から女の子が飛び出してきた。

「すもももももももも！　バーチャルアイドル桃花だよーっ」

お決まりのフレーズとともに登場すると、ステージの前に並ぶ観客からは、拍手や花がいっせいに飛んでくる。私ことバーチャルアイドル桃花は、この世界でたくさんのファンがいるトップアイドルだ。

ピンク色の髪をツインテールにして、目は顔の半分くらいある。

ぷにぷにの透き通るような肌。

といってもこれぜんぶ、メタバースの世界の中の話なんだけどね。

本当の私は、ごくごく普通の中学二年生の女の子。

実はここ、うちのお父さんが開発しているＶＲ空間の中の世界なんだ！

娘である私は、このメタバースを盛り上げるお手伝いをしているんだよ。

もともと声優さんにあこがれてたから、それに近いことができて、とってもやりがいを感じてるの！

だけどまわりの子には、私がバーチャルアイドルをしていることは、秘密にしている。

中学生でそんなことをしてるってバレたら、先生に怒られちゃうし、何よりもはずかしいから。

だってホンモノの私は、桃花みたいにかわいくてキラキラしてないもん。

ホンモノの私は、ただのアニメ好きなオタク女子、樋口　百。

アニメの推しキャラのグッズをつくったりすることにもハマってる。

百円ショップに売っているパーツを組み合わせてつくるキーホルダーや缶バッジは、クラスのオタク友だちには好評で、プレゼントするとすごく喜んでくれるの。

「なー。昨日の桃花のライブ配信すごかったな！」

教室にある自分の席に着くと、すぐに隣の席の男子が声をかけてきた。

こいつの名前は須藤。『桃花』の名前に心臓がドキッと跳ねた。

まさかメタバースにアクセスしてくる中学生が、私以外にいたなんて……。

それもよりによって隣の席の須藤だっていうんだから、もう困っちゃう。

須藤は大学生のお兄さんから、メタバースにアクセスすることを教わったらしく、今じゃ自分のアバターまでもっているらしい。

私のアバターである桃花とはちがって、須藤のアバターは短髪のツンツンヘアで目がきりっとしているところが、リアルの須藤そっくり。

最初にメタバースで見かけた時は、思わず吹き出しちゃったもん。

須藤そっくり！　って、まさかの本人だったんだけどさ。

「桃花ってトークも楽しいし、歌もうまいしマジで神！」

須藤は運動もできるし、おもしろくて優しいから、クラスのみんなに人気がある。

それに、アニメもマンガも大好きなのに、須藤が語るとなぜかオタクって感じがしない。あーあ、世の中って不公平だな。

そんな須藤は、私相手なら好きなだけオタクトークができるからって、何かと話しかけてくるんだ。

桃花の正体が私だってバレたら、さすがに笑われちゃうかな。

オタク女子の私が、どんな顔してキラキラアイドルやってるんだって。

でもメタバースは、何者にもなれるところがおもしろいんだ。

だから、リアルがバレるなんてことはあってはならない。

私はすました顔で、須藤にとっておきの情報を教える。

「桃花、今週の土曜日にまたライブ配信するらしいよ」

「マジで⁉　すげー！　ぜったい観よ。樋口、教えてくれてありがとなー」

須藤は笑うときりっとした目がくしゃっとなって、かわいい。

須藤はキラキラ男子で、私はただのオタク女子。

バレたらマズいから話さないほうがいいのに、困ったことに私は須藤と桃花トークをするのが嫌いじゃないんだ。いや、むしろ好き。だったりする。

「須藤は桃花のライブを観るために、メタバースに登録したの？」

「ライブを観たいっていうのもあったけど、ファン同士で友だちになれたらとも思ってさ。けど結局、大人ばっかりでつまんなくってさあ。樋口は？」

ドッキーン。

突っこまれたら困っちゃう。だから話さないほうがいいのに。私のバカ。

「わ、私もライブを観たりするだけだよ。それに、知らない人と話さないほうがいいよ！」

「ふーん。やっぱそうだよな」

うんうん、と私は首を縦に振った。

学校でも知らない人とネットで知り合うことの危険性は、教えられてる。

すると、須藤がカバンからガサゴソと紙の切れ端を取り出した。

「この間さあ、メタバースで見つけたお気に入りの場所があるんだけど。樋口もよかったら行ってみてよ。水平線に夕日がしずむところがめちゃくちゃきれいだから！」

「へえ！　景色がきれいなところ、いっぱいあるもんね」

須藤はへへっと笑って、メタバースでの位置を表す数字が書かれたメモ用紙を私にくれた。

「これ、景色の座標をメモっといた。おれのまわりでメタバースを知ってるやつは樋口しかいないからさ、今度一緒にメタバースで遊ぼうぜ」

須藤は男子に遊ぼうって言うノリで、私に声をかけてきた。

須藤と一緒に遊べたら、メタバースも楽しいんだろうなあと思う。

だけど私のアバターは桃花だから、メタバースで会うわけにはいかない。

「ま、また今度ね！　それよりさ、桃花のキーホルダーとかつくったら、いらない？」

「いるいる！　いろんなパターンでつくってみてよ」

「うん。つくったら見せるね」

須藤とメタバースの中で会わないようにしよう。

そう思っていたのに、私は須藤が言っていたきれいな景色がどうしても見たくなってしまった。

桃花のライブがはじまる二時間前。今ならまだ須藤はログインしてないだろう。

そんな予想から、私は須藤がくれた座標を入力し、その地点へとワープしてみた。

そこは、切り立った崖の上から見える水平線だった。

ちょうど夕日がしずむ時刻で、海が光を反射してキラキラとかがやいている。

茜色のとろけるような空。大きな夕日。

メタバースだとは思えないくらい、きれいで感動した。

「すごいじゃん。須藤……」

一緒に見て盛り上がりたかったなあ、なんて思った。

また月曜日に学校に行ったら話そう。この景色がどんなに心に響いたかを。

画面の前でじんわりと感動にひたっていた時だった。

『桃花だ』

画面に会話が表示された。

メタバースでだれかに話しかけられた！

「え⁉」

私はギョッとした。しかも相手は桃花を知っている。どうしよう。

桃花がメタバースで有名になってから、この世界を出歩いたのは初めてだった。

視点を自分のまわりまで見えるように切り替えると、そこにはツンツン頭の男の子のアバターがすぐそばにいた。

（須藤だ……！）

私はさっと血の気が引くのを感じた。

どうしよう……！

『今日ライブでしょ？』

私が答える前に、須藤が話しかけてくる。

『うん』

ああっ、思わず答えちゃった！

いつも桃花を好きだって言ってくれる須藤のことを、無視なんてできなかった。

『応援するね。無料アイテム投げるから！』

『ありがとう！』

『まだライブ行かなくていいの？　だったら町でミニゲームして遊ばない？』

正体が私だってバレたらどうしようって思ったけど、見た目が全然ちがうから、バレようがないみたいだった。

私は結局ライブの時間まで、須藤と遊んでしまった。

初めて友だちと遊ぶメタバースは、めちゃくちゃ楽しかった。

すっかり調子に乗った私は、それからもたびたびメタバースで須藤と遊ぶようになった。一緒にアルバイトをしたり、部屋に飾る家具を買ったり。

きれいな景色の場所を探したり、ライブで着る衣装を選ぶのにもつき合ってくれた。

そして、メタバースの中の須藤を、私はすっかり好きになってしまった。

ううん、メタバースの中だけじゃない。

須藤は現実もメタバースも変わらないもん。

私はリアルの須藤のことも同じように、好きになってしまった。


『なあ、現実でも一緒に遊ぼうよ』

ある日とうとう、メタバースの中で須藤はそんなことを言い出した。

私はメタバースで須藤と仲良くなってしまったことを、心底後悔した。

『メタバースで仲良くなった人と現実で会うなんて、いちばんやったらダメ！　私の中身が悪人かもしれないじゃん！　アイドルやってるけど、私の中身は本当はおっさんなんだよ⁉』

『え⁉　そうなの⁉』

とっさについた嘘を須藤は信じたようだった。

危なかった……。私は画面の前で胸をなでおろした。

だけど胸にぽっかり穴があいちゃったみたいにさみしい。

中身がおっさんのバーチャルアイドルとは、須藤も遊ぼうとは思わないだろう。

「あーあ、せっかく楽しかったのにな……」

あれほど楽しかったメタバースも、須藤と遊べないと思うと色あせて見えた。

やっぱり自分をいつわったメタバースじゃ、私は幸せになれないんだ。

アバターだけ、キラキラしてたってダメなんだ。

それからというもの、メタバースで須藤と会うのがつらくて、私は桃花のライブ配信以外でメタバースにログインしなくなった。元の生活に戻っただけ。

須藤とは学校で会えるけれど、須藤もなんだか元気がないみたいだ。

考えごとをしてるみたいで、あまり会話が弾まない。

桃花の中身がおっさんだって知って、ショックを受けているのかもしれないと思うと、罪悪感にさいなまれた。

「樋口。今日の放課後、空いてる？」

そんなある日、学校が終わると須藤に話しかけられて、びっくりした。

「え？　今日は塾があるよ」

「ふーん。塾って駅前の？　なら、終わったら駅前の広場でちょっと待っててよ」

そう言うや否や、須藤はカバンをつかんで教室から出ていってしまった。

私は席にひとりで残されて、呆然としていた。

須藤と待ち合わせ……？　学校以外で会ったことないのに急になんで？

嫌な予感しかしない。まさか桃花が私だってことがバレたんだろうか。

それで須藤はもしかして、怒っているんだろうか。

無視して帰るわけにもいかないから、私は須藤に言われた通りに、塾が終わると駅前広場のベンチに腰かけていた。そわそわして落ち着かない。

しばらくすると道の向こうから須藤が現れた。白いビニール袋を手にしてる。

私を見つけると、神妙な面持ちで駆け寄ってきた。

緊張した空気が私たちを包む。

すると、須藤はビニール袋から、ガサゴソと何かを取り出した。

「じゃんっ」

須藤が見せてきたのは、おつまみのあたりめだった。

「はっ……？」

「あたりめにサキイカに……、あとおっさんが好きなものって、なんだと思う？」

次々出てくるイカと、おっさんというワードに、さーっと血の気が引いた。

須藤、まさか桃花の正体がおっさんってわかってもまだ、リアルで会うつもり⁉

ドン引きしている私に、須藤がへへっと照れくさそうに笑った。

「おれの好きな子、中身がおっさんなんだって。だから好きそうなもの、用意してきたんだけど、どう?」

「え⁉　し、知らないよ。何言ってるの?」

須藤は困惑する私を、不思議そうな顔で見つめた。

「樋口こそ、何言ってんの?　中身がおっさんだって教えてくれたの樋口じゃん」

「あ……、あれは桃花が言ったんじゃん!　ていうか、なんで私が桃花だってわかったの⁉」

「え?　だって桃花の歌声、まんま樋口じゃん。音楽のテストでも歌うまいし、すぐわかったけど。学校でも時々桃花の歌、口ずさんでるし」

「ええ――――!」

リアルの私は、別にイカが好きな中身おっさん女子じゃない。

だけど須藤がメタバースの桃花じゃなくて、最初からまんまの樋口百を見てくれていたっていうのは、悪くない現実だった。

♥ episode - 03

ラブレターの宛て先は

「あー、いよいよ来週はバレンタインデーかぁ……。卒業も近いし、高校はぜったい別々になっちゃうし……。今度こそケンヤに告白するんだ」

三年生になった時から、ラナはひそかに決心していた。

ケンヤとは小学校からの友だちだ。中学に入ってから、背が伸びてカッコよくなったとは思っていたけど……二年生になって、職業体験で同じパン屋さんに通った時、テキパキ働く姿が頼もしくて、急に気になりはじめた。ケンヤは昔から、あまり積極的に人前に出ていくタイプではなかったから、その働きぶりはとても意外で、新鮮に見えたのだった。そういえばパン屋の店長にも、高校に入ったらバイトしにおいで、とまで言われてたっけ。

でも、ラナは、その気持ちをだれにも打ち明けることなく、自分の心の中にしまいこんでいた。小学校から一緒の友だちが聞いたら、みんな『うっそー！』ってびっくりするに決まってる。だからなおさら、軽々しく話したくはなかった。

（まあ、そうだよね。あたしだって自分でびっくりだもん）

そんなある日のこと、帰りのホームルームで先生が言った。

「突然のお知らせがあります。松下エリさんが転校することになりました。引っ越しは二月十四日だそうです」

「うそ、そんなに急に？」

「バレンタインに引っ越しかあ」

クラスが一気にざわつく。エリは、泣きそうな顔でうつむいていた。

ラナはショックだった。エリは中学で出会った親友だ。おたがいの家を行き来したり、誕生日にプレゼントを贈り合ったりする仲だったのに、まさか、急に引っ越すだなんて。

どうして言ってくれなかったんだろう。

エリの引っ越しの前日、ラナは手づくりのクッキーを持って、エリの家を訪ねた。

「ラナ、ありがとう。直接言えなくてごめんね……。私、東京にある音大の付属高校に行くことにしたの。何度も家族で話し合って、結局みんなで引っ越すことに決まったんだよね」

「そうだったんだ……。あんまり急だから、びっくりしちゃって」

「東京では、お母さんの実家に住むことになってるの。ちょうどいいタイミングだったんだ。おばあちゃんもひとり暮らしだし、うちの親もいつかは同居って思っていたみたいで……。仕事もなんとかなりそうだから」

最後に、エリは思いつめたような顔で打ち明けた。

「……あのね、迷ってたんだけど、やっぱりラナにだけは教えるね。実は好きな人にラブレターを書いて、最後に渡そうと思ってたんだけど、今日、その手紙をなくしちゃったの」

「えーっ？　どういうこと？」

「本当はバレンタインデーに告白するつもりでいたんだけど、引っ越しと重なっちゃったから前の日にって思って。それなのに、朝、校門のところで、走ってきた男子と激突してさ。カバンの中身が飛び出して散らばっちゃって、そのあといくら探しても手紙が見つからなかったの」

いつも落ち着いているエリが相当思いつめているのが、ラナにも伝わってきた。でも、これだけは聞いておかなくちゃ。

「ねえ、エリ、あたしには教えてくれてもいいでしょ。そのラブレターの相手ってやっぱり、あの人だよね？」

すると、エリはその先を必死でさえぎった。

「もういいの。失恋覚悟だったんだし、こんなことになるなんて、きっと神様があきらめなさいって言ってるんだと思う。お願いだからもう聞かないで！　それ以上聞いたら怒るからね！」

（まったく、どんだけ秘密主義なの。バレてないと思ってるの、エリだけだよ）

エリの好きな人なら、指揮者とピアノ伴奏者として合唱コンクールをともに引っ張っていた、タクトに決まっている。だれに聞いてもそう答えるだろう。

息はピッタリ。相性もバッチリ。みんなが認めるお似合いのふたりで、つき合ってないのが不思議なくらいだ。

ふたりともクラスでは一目置かれる存在なのに、恋愛となると一歩引いてしまうところが似ているのか、カッコつけすぎて今さら告白できないのか、なかなか進展せず、まわりのほうがやきもきしていたのだ。タクトだって、エリの引っ越しにどれだけショックを受けていることだろう。

すると、エリはぎゅっとラナの手を握った。

「あのラブレター、だれかに拾われたら死ぬほどはずかしいけど、もう探す時間がないの。どうせ引っ越しちゃうんだから、読まれたらその時はその時だけど……。でも万が

一、ラナが見つけたら、中身は見ないで捨ててね。ぜったいだからね！」
こんなエリを見るのは初めてだった。いつものおっとりした口調が、倍ぐらいの速さになっている。

「わかった。約束する」

その後、再会を誓い合って、ふたりは別れた。


（まったく、エリったら。タクトならぜったいＯＫしてくれるのに。よーし、その手紙、あたしが見つけてあげる！）

翌日、ラナは朝早く登校した。見つけたら、タクトに渡してあげようと思っていた。

校門のそばの植えこみをのぞきこんだり、自転車置き場を探したりしていると、

「あった！」

とうとう、うすいブルーの封筒を発見した。塀の内側の影になったところに落ちていたため、だれにも気づかれなかったようだ。宛て名はなく、差し出し人にエリの名前が

書いてある。親友の秘密を無事に回収できて、ラナはホッと胸をなでおろした。

その時、封筒のシールがはがれ、中の手紙が飛び出した。

「わっ、いけない」

あわてて封筒に収めようとした時、手紙の書き出しの宛て名が見えてしまった。それは『ケンヤへ』ではじまっていた。

(うそでしょ?)

なんとエリの好きな人はケンヤだったのだ。ハッと我に返り、手紙を元に戻したが、ショックで胸が苦しい。息ができない。

(こんなのってあり? 親友が落とした手紙を探して、やっと見つけられたのに……)

手紙を持ったまま、泣きそうになっていると、

「ラナ、おはよ」

後ろから声をかけてきたのは、なんとケンヤではないか。ラナは、あわてて封筒をポケットに入れた。

「あのさ、今日の放課後、空いてる？　話したいことがあるんだけど……」

「えっ？　あ、うん。ちょうどあたしも話したかったんだ」

とっさにそう答えると、ケンヤはホッとしたように笑顔になった。

「ありがとう。じゃ、放課後、公園で」

「うん」

ケンヤが行ってしまうと、ラナは思わず座りこみそうになった。

（どうしよう……）

悩んだ末、ラナは、エリの手紙のことは忘れてケンヤに告白しようと決心した。自分だって、ずっとこの日のことを考えてきた。それに、エリには悪いが、自分のほうがまだケンヤに近い存在だと思った。

（あたしが手紙を見つけたことを、エリは知らないんだし）

そう自分に言い聞かせた。

（でも、ケンヤの話したいことって、いったい何？）

そして放課後、公園にやってきたケンヤは、口ごもりながら言った。

「こんなこと話せるのは、昔からの友だちのラナだけだよ。実はさ、オレ、エリのことが好きだったんだ。タクトとお似合いだったから言えなかったけど……。後悔したくないから、やっぱり正直に伝えようかなって。ラナはどう思う?」

ラナは、ぎゅっとカバンを押さえた。ケンヤを想いながら、何日もお店を歩きまわってやっと買ったチョコと、何度も何度も書き直した手紙が、ここに入っている。

ラナは、ふーっと大きく息を吐いた。

「これ、エリから」

ラナは、ポケットからうすいブルーの封筒を出して、ケンヤに渡した。

「あたしの用事はこれでおしまい。じゃあね!」

ぽかんとした顔のケンヤを置いて、振り向かずに、ラナは歩き出した。

(あたしの気持ちが、これで消えたわけじゃない。これからもずっと大切にしていくんだ)

冷たい風に顔を上げる。頬に流れる涙は、ビターチョコみたいにほろ苦かった。

♥ episode - 04

エクソシストの恋

「これは魔力か。いやちがう……瞳、瞳が美しい！　吸いこまれそうだ。ああ、鼻も唇も美しい！　信じられない。なんてきれいな女性なんだ」

エクソシストのケイは、目の前に立つ女性のあまりの美しさに我を忘れそうになった。

「ケイさん？　妹のリリアはそんな強力な悪霊にとりつかれているのでしょうか？」

ケイに悪霊退治を依頼した兄のギリーは心配そうな顔をした。

「いえ、これは悪霊ではありません。妹さんのもつ本来の美しさです。ああ、美しい」

ケイはリリアに一歩近づいた。

「シャーッ！」

家の柱にしばりつけられているリリアは、ネコが威嚇する時のような声を出した。

ギリーは妹のリリアが「ネコの霊にとりつかれているようだ」と言ってケイに助けを求めたのだ。昼間はなんともないが、夜中になるとネコのような行動をとるらしい。

「リリア、怒っている顔も美しい」

「あなた悪霊退治の専門家なんですよね？　本当に困っているんですよ」

ギリーが疑わし気にケイを見つめる。

「はい。大丈夫です。私、腕だけはたしかなんですよ。では昼間の様子を拝見して、問題がなければ明日の夜、悪霊を祓いましょう」

ケイは明日の夜までこの家に滞在することになった。

翌朝、仮眠をとったケイが起きると、リリアがてきぱきと朝食の準備をしていた。

「おはようございます。リリアです。私、失礼なことしませんでした？」

ギリーに聞いていた通り、リリアは夜中のことはまったく覚えていないようだ。

「大丈夫ですよ。昨日の夜も今朝も、清楚な美しいお嬢さんですよ」

リリアのつくってくれた朝食はおいしかった。パンはふっくらと焼け、スープはコクがある。ケイは思わず口走った。

「リリアさん、あなたの料理はすばらしい。ぼくのお嫁さんになってほしいくらいだ」

リリアが「まあ、そんな」と頬を赤くする。

（いける！）

ケイはテーブルの下でグッとこぶしを握った。

（リリアは美人だけれど、このあたりは田舎だから、彼女は見知らぬ男性からのアプローチに慣れていないんだ。よし、とっとと悪霊を追い祓ってプロポーズしよう！）

人間にとりついた動物の霊を祓ったことは何度かあるため、簡単な仕事だと思ったケイは、鼻歌を歌いながら日が暮れるのを待った。


「シャーッ、ニヤアオオオオウ」

「ああ、ダメだ。強力な悪霊なのか？」

真夜中になると昼間のリリアの人格は消えてしまった。ケイはいつも通り魔法陣を描き、聖水をリリアに振りかけ、呪文を唱えたが、ネコの悪霊は消えない。

別の呪文を調べたり、ためしたりしているうちに時間がどんどん過ぎていく。

変化が見えたのは、ケイが干し肉を見せた時だった。その肉が欲しいのか、悪霊にとりつかれたリリアは「ミャー」と甘えた声を出した。

「ここは港が近いから、ネコたちは魚ばかりを食べていて、肉はめずらしいのかも」

悪霊がケイに慣れはじめ、攻撃してこなくなったところで夜が明けた。

「ケイさん、おはようございます。私の悪霊は消えましたか？」

本来のリリアが戻ってきた。ケイはあわててリリアをしばっていた縄をほどく。

「ダメでした。申しわけない。あと少しだったんですが……」

「よかった。悪霊が消えなかったということは、ケイさんはまだ帰らず、今日もうちにいてくださるんでしょう？」

「は、はい！　お世話になります！」

悪霊を退治できなかった無念さは、リリアの笑顔で吹き飛んだ。

それから数日間、昼間はリリアと畑仕事をし、夜間は悪霊を退治しようと奮闘したが、悪霊はケイと遊ぼうとするばかりで、リリアの体から出ていく気配はなかった。

それでもギリーは、リリアが夜中に奇声を発したり、他人の畑を荒らさなくなったので、それなりに満足していた。

「夜中に悪霊が顔を出すといっても、ケイさんと遊んでいるだけで、他人に迷惑をかけるわけじゃないし。リリアもケイさんを気に入っているようだ。本当は村長の息子との結婚話もあったんだが、ふたりがその気ならこのまま結婚してくれてもいい」

「けっ、結婚！」

「やだ、兄さんたらっ」

いつの間にか後ろにいたリリアが、うれしそうな声を出す。

(リリアと結婚！　それだよ、それ！)

有頂天になったケイだが、その夜、悪霊にとりつかれて生のままの魚をむしゃむしゃ食べるリリアを見てふと冷静になった。

（やはり、このままというわけにはいかない。仕事がら夜に家を空けることもある。それにもしエクソシストが、悪霊にとりつかれた女性と結婚しているなんて周囲に知られたら大変だ。きっとエクソシスト協会から追放されてしまうぞ）

翌日、リリアはケイの横に立ち、うるんだ瞳でケイを見上げた。

「ねえ、昨日兄さんが言ったことなんだけど……、私たち、まだ気持ちを確かめ合ってない……、っていうか、その、私の気持ちを伝えたいって思っ……」

「待ってリリア。やっぱり仕事を中途半端にはできない。今夜、必ず君にとりついている悪霊を祓う。そして明日、ぼくから言うよ。ぼくの気持ちを伝えたい」

「ニャァ」

「え？　何か言った？」

リリアははずかしそうに首を振ると、照れた様子で走り去ってしまった。

その日の夜は、聖水も、聖なる香木も、ふだんの倍以上の量を用意した。

「これまでは、失敗したらリリアと別れなくていいと思って、どこか心の迷いがあった。

でも、結婚となれば、失敗するわけにはいかないんだ。気合い百倍だ！」

「**ミャアー、フンギャアアー――**」

リリアは苦しそうにうめき出した。

「リリアごめん、少しの辛抱だ」

「**ギャアアアー――**」

リリアは気を失って倒れてしまった。ケイはすぐに駆け寄り、リリアを抱き寄せた。

まだ外は暗い。ここでリリアが目を覚まして、悪霊にとりつかれていなければ成功だ。

「あ、ケイ……」

「リリア、成功だ！　悪霊を追い払ったぞ。大好きだ、リリア、結婚しよう」

「え？　それはちょっと……悪霊を退治してくださったことは感謝していますが」

ケイの腕を払いのけると、リリアは逃げるように部屋を出ていってしまった。

夜が明けてもリリアは顔を出さず、かわりにギリーがやってきた。

「すまない。リリアは、君のことを好きになった覚えはないというんだ。元の約束通り、村長の息子との結婚話を進めてほしいと……」

「え、そんな……」

「そこで思い出したんだ。昔、この村にエクソシストがいて、その人がネコを飼っていたことを。もしかしたらリリアにとりついていたのはそのネコの霊だったんじゃないだろうか。だからリリアが君を好きになったというより、ネコがエクソシストのことを思い出して君になついていただけなんじゃないかと」

「そんな……、じゃあ、やっぱり除霊しないほうが、ずっとリリアのそばにいられたということか……」

ケイはその場に崩れ落ちた。

♥ episode - 05

君の知らない恋の話

「ごめんなさい。わたし、好きな人がいるので……」

また断ってる、と咲希は窓の外を見ながらため息をついた。窓の外には男子生徒に向かって頭を下げている六花の姿が見える。窓は閉まっているので六花の言葉は聞こえなかったけれど、なんと言ったのか咲希には想像がつく。六花はいつも同じ台詞で告白を断るからだ。六花はいつも『好きな人がいる』と言うけれど、親友である咲希にもその相手のことを教えてくれない。

六花と咲希は、中学一年生の時に同じクラスで出席番号が前後だったことから仲良くなった。二年生になった今も同じクラスで、休み時間はいつも一緒に過ごしている。面倒な宿題の話、流行っているドラマの話、新発売のコスメやお菓子の話など、話がつきることはない。もちろん恋バナもする。といっても、咲希が一方的に隣のクラスの彼氏の話をするだけで六花はいつも聞き役だ。

「六花はどうなの？　好きな人ってどんな人？」

咲希が何度聞いても、六花は秘密と言って答えてくれたことはない。

「六花ってば、また断ってたでしょ？　先輩相手でも変わらないんだから」

六花が教室まで戻ってきたところで声をかける。知らない男子生徒が六花を昼休みに呼び出した時から、その目的も、結果も咲希にはわかっていた。

「先輩だからって、好きじゃない人とはつき合えないよ」

六花は困ったように笑っている。中学入学以来、六花はもう何度もこうして男子生徒から告白を受けては、必ず断っているのだ。

「六花はかわいくて優しいし、そのうえ成績も優秀。クラス委員もやってて上級生からも下級生からも慕われてるし……人気者は大変だね」

「咲希までからかわないでよ～」

「学校一のイケメンでしょ、生徒会長にサッカー部のエース、アイドルみたいにかわいい一年生でしょ……それからなんだっけ？　もう覚えてられないわ。だれに告白されてもOKしないなんて、ほんと六花は変わってる。とりあえずだれかとつき合えばいいのに」

「咲希は夕晴くんと〝とりあえず〟でつき合ったんじゃないでしょ？」

夕晴は一年生の時は咲希や六花と同じクラスだったのだ。去年のクリスマスに夕晴から咲希に告白して、ふたりのつき合いがスタートした。

「あったりまえじゃん。わたしも夕晴のこと好きだったから、告白された時はめちゃくちゃうれしかったなぁ」

「その話はもう何度も聞いたってば」

六花は、話はもう終わりというようにヒラヒラと手を振り、自分の席に座る。

「ねぇ、いったいどんな人なの？　六花の好きな人って。この学校にいるの？」

「秘密。前にもそう言ったでしょう？」

「親友のわたしにも言えないの？」

「そう。だれにも言わないって決めてるの。ねぇ、それより日曜日は遊べる？　咲希、新しいスマホケース欲しいって言ってなかったっけ？　見に行こうよ」

「あ～ごめん。日曜は夕晴と映画に行くんだ……でも、土曜なら大丈夫だよ」

「土曜日はピアノがあるから。じゃあまた今度にしよっか。映画、楽しんでね」

ちょうどチャイムが鳴り、咲希も自分の席に戻る。先約がある、と咲希が言った時の六花の表情を思い出しながら、咲希は小さくため息をついた。


「咲希、帰ろうぜ」

放課後、隣のクラスの夕晴が咲希を迎えにきた。夕晴はサッカー部だが、部活が休みの日は、ふたりで一緒に帰りながら放課後デートを楽しむことにしている。

「今、行くからちょっと待って。あっ、六花はクラス委員の集まりがあるんだっけ？　がんばってね」

「うん。また明日ね、咲希」

○月○日（○）

夕晴とふたりで六花に手を振る。咲希は夕晴の手を握りながらも、つい後ろを振り返って六花の顔を見てしまう。

(やっぱり。笑ってるけど、つらそうな顔してる)

咲希が夕晴といる時、夕晴の話をする時、六花はこういう顔を見せることがある。笑ってるのに、泣きそうな顔。最初は気のせいかと思っていたけれど、きっと気のせいなんかじゃない。

(六花の好きな人って……やっぱり、夕晴なのかな)

咲希は夕晴の手をぎゅっと握る。咲希の大好きな彼氏だ。告白された時はうれしすぎて泣いてしまった。つき合うことになったといちばんに報告したのはもちろん六花だ。

「よかったね、咲希」

うれしくて舞い上がっていた咲希は覚えていないけれど、あの時の六花もきっとさっきと同じ表情をしていたのだろう。

(親友だからこそ、わたしに言えないんだね。わたしと同じ人が好きだから)

咲希は、六花が夕晴のことをあきらめて、別のだれかを好きになる日を待とうと決めた。

「言えるわけないよね……」

六花は自分の部屋のベッドで、スマートフォンを手に横になっていた。今日告白してくれた先輩は、他に好きな人がいてもいいから自分とつき合ってほしいと言ってくれたけれど、そんなのつらすぎる。好きな人がそばにいるのに、その人が別の人を好きだというこがどれほどつらいことなのか六花はよく知っているから。どんなにすてきな人から告白されても、まわりから人気者だと言われても、六花にはどうでもいいことだ。六花には好きな人がいる。親友にも話せない相手なのだ。だれにも打ち明けたことはないし、この先もきっとそうだろう。

「恋バナもできない親友なんて、咲希はどう思ってるんだろう。嫌われたくないな」

六花はスマートフォンの画面を見ながら、ふーっと深く長い息を吐く。画面には六花のいちばん好きな写真が表示されていた。咲希がふざけて六花の頬に唇を寄せた写真だ。咲希が夕晴とつき合うようになる前に、ふたりで花火大会に行った時に撮った。

「大好きだよ、咲希」

入学式の日、六花に話しかけてくれた咲希の笑顔を見た時からずっと、六花は咲希に恋をしているのだった。だれにも言えない、秘密の恋。

「ずっと親友として一緒にいようね」

小さな声でそう言って、画面に映る咲希の笑顔を見つめた。

♥ episode - 06

朝読書

「もうすぐ朝読書の時間です。本を読む準備をしましょう」

校内アナウンスで、校庭や廊下にいた生徒たちは、ぞろぞろと教室に入りはじめた。

「いけね、本、忘れてきた」

海斗のひとりごとを聞いて、担任の真島先生が言った。

「大島くん、急いで図書室で借りておいで。今なら司書さんがいるはずだから」

図書室は、教室の横の階段を下りてすぐのところだ。

「面倒くせ~。本なんて別に好きじゃないし。まあいいや。適当に借りてこようっと」

ブツブツ言いながら図書室に入った。だが、司書さんの姿はない。

「おはよう」

その時突然、だれかが本棚のかげから出てきて、心臓が止まりそうになった。女の子だった。小柄で、目の上ギリギリの前髪。しかもマスクをしているから顔がわからない。

（この子、なんでここにいるんだ？　もしかしてオレと同じように本を忘れたとか？）

「きみも一年生？　教室に戻らないの？　もうすぐ朝読だけど」

自分のことを棚に上げて、もっともらしい言葉が口をついて出た。

「いいの。私はいつもここで読書してるから」

（うわっ、声がめっちゃかわいい！　アニメのキャラみたい。あまり健康そうな雰囲気に見えないけど。そうか、もしかしたら不登校気味で、保健室登校ならぬ図書室登校？　そんなのがあるのか知らないけど、あまり聞いちゃ悪いかもな）

「ねえねえ、本を探してるなら、これにしなよ。私のおすすめ」

その子は一冊の本を、ずん、とこっちに差し出した。

「……え、いいの？」

「うん、私のだけど貸してあげる。おもしろいよ」

迷っている時間はなかった。本には、少しすり切れた青いカバーがかかっていた。

「ありがとう、あとで返しにくるから！」

あわてて教室に戻ると、読書の時間はとっくにはじまっていた。海斗は、コソコソと忍びこむように席に着く。さっそく本を開くと、

（うわー、何これ）

紅茶でも飲みながら読んだのだろうか？　茶色いシミがあちこちについている。どれだけ読みこんでるんだ。本のタイトルは『最後の告白』。


主人公は、中学二年生のほの香。読書が好きでおとなしい性格だが、ある日、勇気を振りしぼって先輩に告白する。図書室で、手の届かないところにある本をスッと取ってくれた優しさに恋をしてしまったのだった。話したのはその時一度だけだったが、思いがけずＯＫしてもらえて、天にものぼる心地。初めてのデートで、ほの香は張りきって、自分の好きな作家やおすすめの本の話をした。だが、先輩はそんな話には興味がなく、

そのうえ、性格も最悪。ほの香の心をもてあそんでいただけだった。先輩は、ほの香の内気な性格やデートの時の服装などを、おもしろおかしく人に言いふらし、小馬鹿にした。ほの香は、先輩の取り巻きの女子たちにうとまれるようになり、一部のいじわるなクラスメイトから、身のほど知らずと陰口を叩かれるようになった。

しだいにほの香は学校を休みがちになり、ある夜、交通事故にあい、亡くなった。目撃者によれば、フラフラと道の真ん中を歩いていたという。

それからしばらくして、妙な噂が立ちはじめた。学校に時々、ほの香らしい少女が現れるというのだ。だれもいない教室や廊下で「ねえねえ」と肩を叩かれ振り向くと、口から血を流した少女が立っている。そして「これ、読んでみて」と、血に染まった本を差し出す。そこには自分の恨みと、好きな人から受けた裏切りと仕打ちが書き綴られているという。

「ヤバっ！　朝読に読む本じゃないじゃん！」

海斗はガバっと顔を上げた。水面に浮き上がってやっと息が吸えたような気分だった。

(こんな本貸すなんて、どういうつもりだよ。っていうか、あの子、いったいだれなんだ？　しかも『おもしろいよ』って。趣味悪すぎ！　さっさと返してこようっと)

だが、本を閉じて机に置いた時、裏表紙の隅に何か書いてあるのに気がついた。

「名前？　……ほの香……。えっ？」

と、その時。だれかが肩をちょんちょんとつついて言った。

「ねえねえ」

思わず振り返りかけて、海斗は凍りついた。

(待てよ、オレの席、いちばん後ろだよな？)

だめだ。体がギィーッと勝手にまわってしまう。機械仕掛けにでもなったように……。

「その本、おもしろかった？」

そこには、口から血を流してニッコリと笑うほの香が立っていた。

♥ episode - 07

君と花火

《第十三回　田代高校文化祭》

文化祭前日に正門に立てかける看板ができ上がり、放課後、二年生の文化委員が設置する。私は看板が歪んでいないか確認するために、正門から少し離れた。

「三上、看板、右に寄りすぎじゃない？」

隣のクラス、二年二組の桜木くんは看板を押さえながら私のほうを見た。

「うん。少し寄ってるかも……」

桜木くんが普通に話すので、私もできるだけ平静を装って答えた。でも緊張する。桜木くんも緊張しているかもしれないけれど。

桜木くんに「後夜祭の花火、一緒に見ないか？」と誘われたのは二日前。

うちの高校では毎年文化祭の最終日、後夜祭で打ち上げ花火が上げられる。

特に文化委員になると安全確認という役目もあって、普通の生徒は入れない校舎の屋上から見学することもできる。毎年そこで告白したり、手をつないで花火を見るカップルがいたりと、恋愛にまつわる名スポットになっているのだ。

だから桜木くんに誘われた時、私はすぐに答えられなかった。

桜木くんとつき合う未来なんてないから。

思い返していると、下校する生徒の会話が耳に入ってきた。

「明日から文化祭か。幽霊でもいいから、イケメンと文化祭まわりたいなあ」

「京香も同じこと言ってた。西校舎の渡り廊下にいるらしいって聞いて見にいってたよ」

「噂の霊？　私は、自転車置き場って聞いたけどなあ」

桜木くんが生徒たちをにらむように見る。その目つきは真剣で怖い。

「じゃあ桜木くん、私、もう帰るね」

「あのさ、後夜祭の……」

今のうちだ。下校する生徒たちにまぎれようと、私は走り出した。
待ち合わせ場所の自転車置き場まで行くと、直哉が待ってくれている。私を見て、直哉が片手を上げた。

「詩織、文化委員、お疲れさま」

私には直哉がいる。家の近くにあった第一志望の高校に落ちて、遠くの第二志望の高校に嫌々通いはじめた私が「高校って楽しいかも」と思えるようになったのは、入学してすぐのころ、隣の席になった直哉のおかげだ。

バスケ部の直哉は明るく、男女関係なく気軽に話せるタイプで友だちも多かった。親友の理奈をはじめ、私の今の友だちの半数以上は直哉を通して仲良くなった子ばかりだ。

「三上詩織さん、入学式で一目惚れして以来、ずっと好きです。つき合ってください！」

一年生の夏休み前、そんな直哉に告白された時は信じられなくて、思わず直哉の目の前で泣いてしまった。

私は直哉に感謝しているし、ぜったい彼を裏切らないと心に誓った。

交際をはじめることを理奈に伝えた時の、私の決意を理奈は笑った。

「ぜったい裏切らないって、大げさだな。直哉は学年でも有名な人気者だもん。直哉の彼女を横取りしようなんて無謀なやつはいないよ。そんなやついたら人間じゃないね」


「あのころは、あの工事現場にトラックがどんどん入ってたんだよ。資材とか外にはみ出てて、危ないって怒るおじいさんもいたし。でもまさか本当に、事故が起こるなんて」

「うちの学校に幽霊が出るって近隣の小中高校で噂だよ」

翌日、私が教室に入ると、文化祭の準備をしながらみんなおしゃべりをしていた。私に気づいた理奈が手招きする。

「詩織、おはよう。今日は文化委員の集まりはないの？」

「うん、昨日正門の看板も設置したし……。もう当日まで仕事はないかな」

「じゃあ、久しぶりに一緒に帰らない？　クレープ食べに行こう」

「ごめん。私はやめておくよ。先約があるんだ」

理奈が「最近大丈夫？　たまには私と一緒に帰ろうよ」と言う。私は首を振った。

私が一緒に帰るのは直哉だけ。

うちのクラス、二年一組の出し物は黒板アートだ。教室の前後の黒板には大きな絵を描き、教室内には、小さな黒板ボードにひとりずつ好きな絵を描いて展示する。

私が描いたのは海と貝殻。

直哉と海に行った時、直哉は桜貝を拾い、私の手に乗せ、こう言った。

「文化祭、一緒に花火を見ような。バスケ部はさ、彼女のいるやつは体育館の二階に連れてきて見るのが伝統なんだ。三年間、オレの隣は詩織だからな」

あの言葉はうれしかった。私は、心変わりしちゃいけない。花火は直哉と見なきゃ。


文化祭当日、文化委員は交代で来客受付の仕事がある。

私が割り当てられた一時に受付に行くと、同じく文化委員の池田さんが話しかけてきた。

「さっきね、小学生が『幽霊が出るって本当ですか』って言うんだよ。私、怪談苦手なのに」

「へえ、そうなんだ」

「なんだかね、去年からＳＮＳで噂になってるらしいんだよね。あっ、あの子たち駐車場は立ち入り禁止なのに！　私ちょっと注意してくる！」

池田さんが走っていくのを見送り、正面に向き直ると、桜木くんが立っていた。

「三上」

桜木くんが私を見つめる。受付当番だとここから逃げ出すわけにはいかない。

「後夜祭の花火の時、校舎の屋上に来てくれる？」

さりげなく聞き流していれば、自然と察して、あきらめてくれると思ったのに。

桜木くんは頭がよくてまわりから一目置かれる存在だった。どちらかというとクールな印象だから、こう何度も私の前に現れるなんて意外だった。

相手の新たな一面を見たというか、これがいわゆる『ギャップ萌え』か、と感心する。

感心している場合じゃない。でも、桜木くんは最初から意外な人だった。

四月の文化委員の顔合わせの日、桜木くんは軽音部の舞台を体育館だけでなく、運動場にもつくって野外フェスをしたいから文化委員になったと、話していた。夏休みはギターの練習にせいを出し、工事現場近くの貸しスタジオに通っていたらしい。

クールそうで、案外熱い人なのだ。

その日以来、廊下ですれちがうと思わず目で追ってしまうようになった。

気にしちゃダメだ、と思うと余計気になった。

「なあ、三上、聞いてる？」

「ごめん。私、桜木くんとは花火見れない」

「どうして？」

「わかるでしょ。私には……」

「わかんないよ」

池田さんが戻ってくるのが見えた。

「池田さん、私、急用ができちゃって。もう行くね」

池田さんは手でOKの合図を返してくれる。私は桜木くんを残して走り出した。

「三上、屋上で待ってるから、ぜったい来て」

屋上なんてぜったいに行かない、と思っていたら、思わぬ問題が発生した。

後夜祭直前に一年生の文化委員が、あるクラスの売り上げ表をどこかに落としてしまったというのだ。文化委員は総出で捜索に当たることになった。

文化委員長が捜索する場所を割り振っていく。

「三上さんは屋上をお願いね」


夕焼け空がきれいに見える校舎の屋上に上がった。ここからだと、さえぎる木々もなく、いつもは目に入れないようにしている工事現場が嫌でも目に入る。

あの日のまま時間が止まったみたいだ。

「詩織」

え、まさか、この声は。ゆっくり振り向く。

「直哉。どうしてここに直哉が……」

直哉がゆっくりと近づいてくる。

「ここから見る花火はきれいだろうな。桜木と約束しているんだろ」

「してない。どうしてそれを？　約束なんかしてない。私、行くって言ってないもん」

私は必死に首を振った。少しでも桜木くんのことを気にしていた自分を許せなくなる。

「もっと早くに言うべきだったんだけど……、桜木、いいやつだよ」

「やめて。そんなこと言わないで」

直哉がフェンスに手をかける。そこからは工事現場が見える。

やめて。直哉は工事現場を見ないで。

私は直哉の腕をつかもうとした。

私の手がすり抜ける。

そうだ、もう直哉の体はつかむことができない。

その時、ガチャン、と屋上の扉の開く音がした。

「三上？　どうかした？　下から見上げたら三上の様子がおかしいから来てみたけど」

桜木くんが走り寄ってくる。

「直哉が……。私と桜木くんがここから花火を見るんだろうって……」

「いるの？　ここに？　学校に幽霊が出るって噂、本当だったの？」

「幽霊じゃない、直哉は幽霊じゃないよ。毎日普通に学校来てるし、毎日一緒に帰ってるもん」

直哉の声がする。

「詩織、オレはおまえに会いにきてただけ。オレは一年生のままなんだよ」

去年の九月、直哉は工事現場で亡くなった。

一緒に帰る約束をしていた私が、体調が悪くなって早退したため、彼はふだんとはちがう友人たちと下校した。その時、工事現場の中に入り、倒れた資材の下じきになってしまったのだ。

私のせいだ。私が直哉を死なせてしまった。あとから考えれば、早退するほどの病状じゃなかった。

一年生の文化祭、体育館の二階から花火を見ようと言った約束は果たせなかった。三年間、私の隣には直哉がいるはず。他の人と花火を見るなんて許されるわけがない。

「理奈の声が聞こえたんだ。詩織が毎日悲しそうにひとりで下校して心配だって。詩織、オレのことで悩むのはもうやめて。オレの分も幸せになってほしい」

直哉は私の後ろにいる桜木くんを見た。

「詩織のことよろしくな」

「え？」

私が振り向いたこともあって、直哉が見えない桜木くんも何かを感じたらしい。

「本当にあいつ、ここにいるの？」

私はうなずいた。桜木くんは、見えない直哉に向かって言った。

「オレ、三上のことが好きだ。三上にはいつも笑っていてほしいって思うんだ。オレがそばにいてもいいかな?」

「頼むよ。詩織、幸せになれ。でないとオレ、心配で成仏できないよ」

「……うん。直哉、今までありがとう。私のことは心配しないで」

涙をこらえ、どうにか笑顔をつくる。次の瞬間、ふっと直哉の姿が消えた。

桜木くんが心配そうに聞く。

「オレの気持ち伝わったかな」

「わからない。私にも、もう見えなくなっちゃった」

屋上で桜木くんとふたりきりになる。

「三上、文化委員の顔合わせの日、オレの野外フェスの計画を真剣に聞いてくれただろ。あの時、好きになったんだ。すぐにつき合ってくれなんて言わない。ただ、ちょっとオレのこと気にしてくれたらうれしいっていうか、前向きに検討してほしいっていうか」

「……ありがとう。私、桜木くんのこと、気になってるよ」

打ち上がった花火がふたりの横顔を照らした。

♥ episode - 08

ペット育成アプリ

「涼太くん、野球ができなくなっちゃったんだって」

夏休みのある日、お母さんが夕飯の時に教えてくれた噂話に、私は箸を止めた。

青野涼太は家も近所の幼なじみの男の子だ。

大学一年生だけど野球が得意で、将来はプロ野球選手になるんじゃないかって言われてる。そうなれたら、田舎の私たちの町から初めての有名人が誕生することになる。

だから涼太は町の宝なんだって、小学生のころから言われていた。

所属するリトルリーグの遠征で、涼太が学校を休まなければいけない時だって、先生もまわりも何も言わないのが暗黙のルールだった。

幼なじみの私にとっても涼太の活躍は誇らしくもあった。

だけど私と涼太の距離は、大学生になってから大きく開いてしまった。

――本当はずっと、涼太のことが好きだったけれど。

涼太の彼女になりたいって思ったこともあったけれど、告白してフラれたら幼なじみですらいられなくなってしまう。そんなふうに気まずくなりたくないって思いが先行して、高校を卒業してからは会えなくなってしまっていた。

それに涼太は遠くの野球の強豪大学に、推薦で進学してしまったから。

「どうして⁉　プロ野球選手になるんじゃなかったの⁉」

「ケガをしてひじを痛めちゃったらしいの。もったいないわよねえ。うちの町から、初めてのプロ野球選手になったかもしれないのに」

「そ、それでどうなるの⁉　野球辞めちゃうの⁉」

「さあー？　わからないけど、夏休みはこっちにいるみたいよ」

お母さんにとっては町内の噂話のひとつにすぎないらしく、そのまま話題は流れてしまった。私はもう、そのあとの話は耳に入ってこなかった。

その夜は胸(むね)がざわざわして、あまり眠(ねむ)れなかった。

涼太(りょうた)が落ちこんでるんじゃないかと思ったら、励(はげ)ましたくてしかたがない。

ベッドの中でもんもんとした気持ちを抱(かか)えていると、枕元(まくらもと)でスマートフォンがポコンと鳴った。通知を開くとペット育成アプリからのメッセージだった。

このアプリはいくつかの動物の中から、気に入ったものを選んで育成することができるペットゲームだ。いやされると大ブームになっている。

しかもチャットとも連携(れんけい)できて、友だちとペットを通じてチャットでやりとりすることができる。まるでペットと会話してるみたいだけど、中身は本当の友だち。

動物のアバターのしぐさがかわいくて、エサをあげたりお世話なんかもできる。

いつもはすぐに通知を確認(かくにん)するけれど、今日はそんな気分になれなかった。

次の日、私(わたし)は涼太(りょうた)の家の前まで行ってしまった。

だけど突然チャイムを押す勇気がなくて、道から中の様子をのぞいてみる。

小学生のころは、夕方涼太の家の前を通ると、たいてい涼太がバットを振っていた。

だから昔はここに来れば、いつでも涼太の姿を見ることができたのだ。

「まつり？」

なつかしんでいると、ふと低い声で名前を呼ばれて、ビクッと全身が跳ねた。

振り返ると、涼太が不思議そうな顔で立っていた。

面と向かって話すのが、ずいぶん久しぶりに思えた。

手にはコンビニの袋を持っている。

会えると思っていなかった涼太の登場に、心の準備ができていない私はあわてた。

「久しぶりだな。うちに用？」

「い、いや、通りがかっただけ……」

嘘をついた気まずさに、うまく言葉が続かなかった。

目線を下げると、涼太の右ひじに巻かれた白い包帯が目に飛びこんでくる。

だけど、ケガの調子はどう？　なんて無神経な気がして聞けなかった。
「アイス、食う？」
「え？」
涼太の言葉に顔を上げると、涼太がコンビニの袋からアイスを取り出していた。
ふたつ連なっているそれを、パキンと折って片ほうを、私に差し出す。
夏によく似合うスカイブルーのそれは、私がよく食べている定番のアイスだった。
それから涼太の家のウッドデッキに腰かけて、ふたりでアイスを食べた。
夏休みはいつまでとか、たわいもない話をしながらも、肝心な涼太を励ます言葉を、
私はうまく見つけることができずにいた。
溶けかかったアイスがポタリと地面に落ちるころ、スマートフォンの通知が鳴った。
ペット育成アプリだ。
私はカバンの中に入れていたスマートフォンを取り出した。
通知はメッセージじゃなくて、ペットのぶちねこのおなかが空いた合図だった。

「何それ。ペットの育成ゲーム？」

「うん。こうやってお魚をあげると、ごきげんになるんだよ」

「ふーん。おれもやってみようかな。ヒマだし」

野球ばかりしていて、年中忙しいはずの涼太がヒマだなんて。

私はまた胸が痛くなった。どうにか励ましの言葉をかけたいのに。

「う、うん！　いいと思う。私が設定してあげる！　いやされるし、ヒマつぶしになると思うよ。ペットに話しかけてみて！」

私はとっさに思いついた。涼太のペットのメッセージ機能を自分に設定すれば、ペットのフリをして、涼太と会話できるんじゃない？

涼太は自分の家で飼っているのと同じ、茶色いチワワを選択していた。

「こいつの名前、マツにする。マロン２でマツ」

マロンとは、昔から涼太の家で飼っている犬の名前だ。

『こんばんは』

夜、自分の部屋のベッドの上で、ドキドキしながら涼太にメッセージを打ってみた。

『ごはん食べた？』

迷った末にものすごくどうでもいいことを聞いてしまった。

うるさいペットだと思われちゃうかな……。するとすぐにスマートフォンが鳴った。

『食べたよ』

〈きゃあああ！　メッセージが返ってきた!!〉

思わずベッドの上で飛び跳ねてしまう。うれしくてたまらない。

そのあとも私はお風呂に入ったかどうか、今何をしているのか、いちいちメッセージを送ってしまった。涼太が別のゲームをしている間は、メッセージが返ってこなかったけれど、ゲームが終わるときちんと返事をしてくれた。

メッセージは私から送ることばかりだったけれど、それでも涼太と仲良くなれた気がしてうれしかった。

『マツ。今日包帯が取れた』

涼太から初めてメッセージが送られてきた。私は内容を読んでドキッとした。

涼太のケガに関することだったから。

なんて返そうかしばらく悩んだ末、ペットっぽい、ぶなんな返事をした。

『よかったね』

『練習見学に行ったけど、他のやつにポジションとられてた』

続けてポコンとメッセージが通知される。

『腕も筋肉が落ちて細くなってる』

『毎日練習だりぃって言いながら出かけて、グラウンド整備してジョギングして、ぜんぶだりぃって思ってた。だけど当たり前だった毎日が、突然なくなるってきつい』

ポコンポコンと、涼太の心の叫びが続けて画面に表示された。

これはきっとひとりごとだ。

画面の向こうの涼太の気持ちを思うと、心がちぎれそうだった。

『おれまだがんばったほうがいいの？』

ひとりごとのようなメッセージは、やがて疑問文になった。

涼太はもうがんばらなくていい。今までみんなの期待を背負ってがんばってきたんだから。もう辞めてもバチは当たらないよ。

そう思ったけれど、私の指はちがうメッセージを打っていた。

『がんばれ』

ペット育成アプリのフリをするためじゃない。

涼太がそう言ってほしいと思ったから、そうしたんだ。

涼太ががんばりたいって思うなら、私は応援したい。

涼太からの返事はなかった。

夏の終わり、涼太はリハビリメニューに取り組んでいるらしい。

あの日みたいな泣き言は、あれからチャットでも一切言わない。

ペット育成アプリに飽きたのかなって思ったけれど、私がメッセージを送れば、時間はかかるけど返事もしてくれる。私は涼太が前向きな気持ちになったことを感じていた。

練習を再開したらきっとまた野球に夢中になって、このアプリのことなんて忘れちゃうだろう。少しさみしいけれど離れてしまったとしても、元気な涼太でいてくれるほうがいいと思った。

『久しぶりに素振りしようかな』

お昼にそうめんを食べて、扇風機の前で涼んでいると、スマートフォンがポコンという音とともに、メッセージを告げた。私はそれを見て、心が飛び跳ねた。

〈涼太、バットを振れるようになったんだ！　やった!!〉

いてもたってもいられなくて、私は涼太の家へ向かっていた。

また偶然なんて言い訳も苦しいから、見つからないようにそっと庭をのぞいてみよう。

涼太が素振りをしている姿を見たい。

そわそわと外へ出て、スニーカーのひもを結び直していると、再び通知音が鳴った。

『好きな子に練習見にきてほしいけど、言うのはずいからどうしよう』

「ええっ⁉」

〈涼太、好きな子がいたの⁉　っていうか、彼女がいるかどうかすら知らなかった！〉

私は混乱したまま涼太の家に向かった。もしかして涼太の好きなだれかが、練習を見にきてたりして……と思うと、ショックで頭がぐわんぐわんと揺れている気がした。

涼太の家の門扉が見えたその時、またペット育成アプリがメッセージを告げた。

『好きな子っていうのは』

〈ダメダメー！　知りたいけどペットのフリして涼太の好きな子聞いちゃうなんて！〉

私はスマートフォンを片手に、インターフォンを連打した。

涼太はすでに庭にいたらしく、びっくりした顔ですぐに門を開けてくれた。

「まつり？」

「ごめん、涼太！　ペット育成アプリに大事なこと話しちゃダメ！　あれ、実は私が相手なの！」

はずかしさとだました罪悪感で、涼太の顔が見られなかった。

私がうつむいて涙をこらえてることに気づかなかったのか、涼太は私に庭に来るようにうながした。さぞかし怒られるんだろうなって思って、黙って涼太についていくと、ポコンとまた通知音が鳴った。おそるおそる画面を見る。

ペット育成アプリが、涼太からのメッセージを告げていた。

『昔から好きだった女の子が、目の前で泣きそうなんだけど、どうしたらいい？』

顔を上げると、涼太が照れたような顔で笑っている。

涼太は、ペット育成アプリが友だちとメッセージのやりとりができるって、最初から知っていたんだって。

ちなみに、マツはマロン２って意味じゃなくて、私の名前、「まつり」の略だったらしい。

♥ episode - 09

君が生きている世界線

「別の世界線に行ってやりたいことは、好きな女の子に告白することです」

オレの言葉に、三名の面接官は爆笑した。オレは奥歯をかみしめる。笑いたきゃ笑え。

右端の男性が書類を見ながら口を開いた。

「ごめんね。駒田和敏くん。バカにしたわけじゃないんだよ。応募理由はどんなものでもかまわないし。ただここまで、戦争のない世界線に行きたいとか、ニホンオオカミの絶滅していない世界線に行きたいとか、規模の大きな話を聞かされていたからね。おもしろくて笑ったというより、微笑ましくてね。君は失恋したのかい？」

「その子は告白する前に亡くなってしまったんです」

三人の表情が固まる。

ここはパラレルワールド研究所。自分がいる世界とわずかにちがう世界が無数にあるというパラレルワールド理論を研究しているところだ。実際に別の世界へ行く方法を発見したのが五十年前、以来単発の行き来は何度か成功している。

今回、複数の世界を点々と移動するミッションの被験者が募集されることになった。

「オレたち仲がよかったのに、自分に自信がなくて告白できずにいて……、でもやっぱりあきらめきれなくて、告白しようとしたら、その日に死んでしまった」

「死因を聞いてもいいかな？」

三人のうち真ん中に座っていた年長の男性が言った。オレは答える。

「通り魔に襲われたんです。犯人は捕まっていません」

「それはかわいそうに。それで、別の世界へ行ってどうするつもりかい？」

「その世界のオレが彼女のことを好きじゃなくて、かつ彼女が死んでいない世界線を見つけたら、その世界のオレと入れ替わってもらおうと思います」

「タイムマシンとはちがうからね。彼女が生きていればいい、というわけでもないよ。

家がものすごく貧乏だったり、仲のいい子がいなかったり、悪い面があるかもしれない」

「それでもいいです。彼女が生きてさえいれば」

一週間後、オレは採用通知を受け取った。

出発の際に渡されたのは腕に巻くバンドひとつ。二十までの目盛りがあるダイヤルがついていて、それをまわせばまわすほど今いる世界から離れた世界に行くらしい。しかし、遠くのダイヤルまで一気に移動するのは危険だと説明を受けた。

「ひとつふたつだと君の好きな女の子の運命は変わっていないかもしれない。でも一回で十も二十も飛び越えると、君が生きている世界線かどうかわからない。ダイヤルの目盛りは一度に三つ四つまわすのをくり返したほうがいい」

オレは自宅近くを流れる川にかかる橋の下に行った。ここは何十年と景色が変わっていないし、人気もない。近くの世界なら安全に移動できると思ったからだ。呼吸を整え覚悟を決め、ダイヤルを目盛り三つ分だけまわした。

世界線の移動は、ふらっとめまいを感じただけで終わった。周囲の景色は変わらない。

バンドのライトがオレンジに点滅しているので、移動は成功したようだ。

予定通り、駅前の本屋に向かった。そこで以前読んだパラレルワールドをテーマにした漫画を買う。もしこの世界の自分がこの漫画を読んでいれば、表紙を見せるだけでスムーズに話ができるだろう。読んでいなければ読ませればいい。

オレは自宅の前で、塾から戻ってくる自分を待った。

物陰に隠れ、自転車を止めたのを見て前に出る。この世界のオレがおどろいた。

「えっ、うわっ、ああ、オレ死ぬの？」

「は？」

「だってドッペルゲンガーだろ。自分とそっくりの生き霊を見たら三日以内に死ぬって」

「ちがう。これだ」

オレは、パラレルワールドの漫画を見せた。この世界のオレは一瞬で理解した。

「おまえ……っていうか別の世界線のオレか。なんだかすごいな」

「ああ、この世界では広瀬伶香は生きているか？」

この世界のオレがうなずく。伶香の名前を聞いて顔が赤くなるのが、腹立たしい。家族の恋愛話を聞くようないたたまれなさを感じる。オレは状況を説明した。

「というわけで、よければオレと住む世界を変わってほしかったんだが……」

「イヤだ。オレだって伶香が好きだ。高校に入って友だちができなかったオレに話しかけてくれたのは伶香なんだ。オレがプラモデル好きと知って、大井たちプラモ部のやつらを紹介してくれたんだ。オレが楽しい高校生活を送れているのは伶香のおかげ」

「知ってるよ。オレも同じ経験をしている」

オレの制服の袖を引っ張ってプラモ部まで移動する後ろ姿は目に焼きついている。

「あんなに、美人で性格のいい子は他にいない」

「わかった。じゃあオレはあきらめて次の世界に行く。おまえはさっさと告白しろ」

オレは次の世界線に行くため、再び橋の下に向かった。

（この世界の伶香は生きている。ここに残らないにしても一目生きている伶香に会いたい。でも姿を見てしまったら、別の世界へ行く気をなくすかもしれない）

この世界にはオレがいる以上、ここに残っても幽霊生活を送るだけだ。別の世界の自分を送り返すというミッションもこなさなければならない。

二つ目の世界に移動した。衣服とそのポケットに入る大きさの物以外は一緒に移動させられないので、また駅前の本屋に行ってさっきと同じ漫画を買う。

漫画を買って本屋を出たところでオレはオレに会った。

「あっ、生霊？　うわっ、何？　生霊に連れ去られるっ！」

オレは近くの公園に二番目の世界のオレを連れて行き、漫画を見せて状況を説明した。

「というわけで、この世界の伶香が生きていて、おまえが伶香のことを好きじゃないなら、住む世界を交換してくれないか」

「たしかにこちらの世界では伶香は生きている。事件で刺されたのは別の学校の男子だ。

オレは伶香のことは好きじゃない。でもおまえと住む世界を交換することはできない」

「どうして！」

「彼女ができたんだ。昨日、告白されて。おまえと入れ替わったら、伶香のことを好きなおまえは彼女とすぐに別れるだろう？　彼女を悲しませたくない」

オレに彼女がいる世界線がある、しかも向こうから告白されて？　そんな恵まれた世界線があるなんて、同じオレでもすごいちがいだな、とため息が出た。

「でも告白されたなんて意外だな。相手はだれだよ、教えろよ」

「木島美都」

木島美都といえば、同じクラスの女子だ。地味で目立たたず、伶香の足元にもおよばない。つまりまったくオレの好みのタイプではない。

「伶香のほうがいい女だ」

「は？　広瀬伶香って性格悪いだろ？　裏表があるっていう噂だ」

「うそだ。高嶺の花だからって負け惜しみ言うな。おまえには地味な女子がお似合いだ」

オレは捨て台詞を吐いて、走り出した。

三つ目の世界に着く。ここは本屋に行く前に、自分自身に出会ってしまった。この世界のオレは、河川敷でぼうっと座っていたのだ。

「よお」

この世界のオレは、オレを見ても声を上げることなく少し目を見開いただけだった。

（この世界のオレは元気がないな。もしかして伶香はすでに……）

オレは自分の正体を明かしたあと、おそるおそる聞いた。

「こっちの世界で、伶香は生きているか？」

こっちの世界のオレがビクッと体を震わせる。

「伶香？　どうしてそんなことを聞くんだ？」

「オレの世界の伶香は死んでしまったんだ。オレは伶香が好きなんだ」

「伶香が死んだ？　本当か？　ここではまだ生きているぞ。さっき会ったばかりだ」

この世界のオレは、好意的にオレの話を聞いてくれた。入れ替わりも「考えてやってもいい」と言う。オレはこの機会をのがしてはなるものかと、前のめりになった。

トゥルルルン、トゥルルルン。

こっちの世界のオレのスマートフォンが鳴る。画面には「広瀬伶香」の文字。

オレは思わずスマートフォンを奪い取った。

「伶香、好きだ。おまえが好きだ」

「うわっ、何なに？　ありがと。いきなり帰っちゃうから嫌われたかと思ったよ」

「嫌いになんかならないよ」

「さっきとは別人みたい」

「ごめん。これまでのオレは忘れてくれ。好きだ」

「わかった。私も好きだよ。ね、私のところまで戻ってきて。さっきのとこにいるから」

もっと伶香と話したい。オレはスマートフォンを返さないと決めた。

「勝手に話を進めてしまった。な、いいだろ！　オレと入れ替わってくれ」

「わかった。でもバンドをオレが受け取ったらおまえはもう移動できなくなるぞ」

「かまわない。さあ、伶香はどこにいる?」

「……駅前のカラオケボックス横の路地」

オレは、すぐに腕のバンドを外して、この世界のオレの腕に巻きつけ、「赤い線まで目盛りをまわせ。オレの世界に行ける」とだけ言って、伶香に向かって走り出した。


路地に行くと伶香が立っていた。思わずオレは走り寄って伶香を抱きしめる。

「ああ、伶香、好きだ。もう死んでもいい。ここまで来るの、本当に大変だったんだ」

「じゃあ、私のお願い聞いてくれるんだね」

オレは何か頼まれていたのか。

「なんでも聞くよ、えっと、なんだったっけ」

「やだ、冗談うまいな。私のかわりに警察に行ってくれる気になったんでしょ」

「え? どういうこと? あれ? 伶香、手が濡れてる? 黒い液体……、これ血?」

「さっきの失敗、身代わりになってくれるんだよね？」

路地の暗闇にようやく目が慣れてきた。伶香の後ろに人が倒れている。

「う、うわ、人だ、救急車！」

「この人、たくさんお金持ってたんだけどね。思った以上に抵抗されちゃってさ。ついてないや。はい、ナイフ持って。よし、指紋ついたね！」

この世界の伶香は強盗を働くようなやつで、この世界のオレは、この場から逃げ出して河川敷に座っていたというのか。

オレは伶香の腕を振り払い、橋の下に戻った。だれもいない。この世界のオレはもういなかった。バンドもない。パトカーのサイレンが近づいてくる。

もしかしたら元の世界の伶香も、通り魔に襲われたのではなく、彼女が強盗犯で、被害者の返り討ちにあっていたのではないのか。

「オレの世界の伶香は、本当はどんな子だったんだろう」

だが、もう真実を知る方法はない。

♥episode - 10

練習あるのみ

「なあ、どうしたらいいと思う？」

智也が川面をのぞきこみながら言った。

「そりゃ、勇気出して告白するしかないっしょ」

「オレもそう思う」

暁斗と圭も、並んで橋にもたれてうなずいた。

智也、暁斗、圭は小一の時から五年生の今まで、ずっと同じクラスだ。笑いのツボも一緒だし、気が合いすぎて、話していると掛け合いみたいになり、お笑いトリオと言われている。この橋を渡ると、帰り道が分かれるため、いつもここで長話になるのだ。

智也は、隣の席の美梨が好きなのだが、なかなか告白する勇気が出ない。最近、クラス委員で優等生の学も美梨が好きらしいことがわかって、余計におじけづいている。

「どうしよう。学に先に告られたら勝ち目ないよ～！」

「そもそもおまえに勝ち目があんのかよ」

「先とかあととかの問題じゃないだろ」

さっきまで勇気を出せとか言ってたくせに。こういう時はすかさず突っこむのがこのふたりだ。

「頼む、協力してくれよー」

「そう言われてもなあ」

「オレたちも女子に告ったことないしなー」

遊びとなるとあっという間に決まるのに、こういうことだと今ひとつ頼りない。

やがて、三人の中ではちょっとだけリーダーっぽい存在の圭が言った。

「よし、とにかく告白の練習しようぜ！」

「だな。途中でかんだりしたらカッコ悪いもんな。よっしゃ、つき合ってやるか」

暁斗もうなずいた。

「ありがとう！　やっぱりもつべきものは親友だよ！」

智也は大げさにふたりに抱きついた。

そんなわけで、智也の告白練習がはじまった。

「文章はちゃんと自分で考えるんだぞ」

まず、智也が考えてきた台詞を、他のふたりがチェックすることになった。長すぎたり、意味不明だったりしたら容赦なく直される。

「うーん、『ずっと前から、あなたのことが好きでした』？　なんか言い方が古すぎじゃね？」

「これじゃ学に勝てっこないぜ。もっと気持ちをぐっとつかむコトバないのかよ」

「そっかー。でもさ、相手がいないとなかなか言えないんだよな」

「わかった。オレが美梨の役をやってやる」

「マジ？」

それから、暁斗が美梨役になり、いろいろな会話のパターンを想定して練習をくり返した。圭はその様子を見ながら、映画監督のように細部までチェックする。

「これ、一度やってみたかったんだよな」

二日目には、手づくりのカチンコまで用意してきた。

「よーい、アクション！」

最初ははずかしがったが、ちゃんとやらないとふたりにダメ出しされるので、智也はだんだん真剣になってきた。そのうち、感情をこめて言えるようになり、映画のワンシーンを撮っているような気にさえなってきた。

「オレ、将来脚本家か役者になろっかな。向いてんじゃないかな」

「調子に乗るなよ」

「今大事なのは告白だろ」

学校の行き帰りや、公園の木の下でも練習したが、クラスメイトや、特に女子に見つかったら噂が広まるから、そこだけは気をつけていた。

だが、お笑いトリオの詰めは甘かった。ある日、クラスで学芸会の出し物を考えることになり、女子からこんな提案が出たのだ。

「智也くんたちが、最近内緒でお芝居の練習をしているみたいです。この間、公園でやっているところをこっそり見てたんだけど、告白シーンとか、もう感動モノなの！　あれを元にして、クラスで何かやれたらいいかもって思いました」

「げっ」

智也、暁斗、圭は、離れた席で同時に声をもらした。

「おー、さすがお笑いトリオじゃん」

「どんなお芝居なの？　見てみたーい」

呆然とする三人を置き去りに、話はどんどん盛り上がった。

「告白シーンかあ。いいね！」

「主人公の王子が、親の決めた結婚を蹴って、一目ぼれした小さな国のお姫さまをお妃にするっていうのはどうかなあ」

「うんうん、ベタだけど、あえて真面目にやるのがおもしろいと思う！」

もともと、一致団結するとあっという間にまとまるクラスだ。結局最後には笑いあり、涙あり、歌あり踊りありの、ミュージカル仕立てのお芝居をやろうということになってしまった。

それだけではなかった。投票により、主人公のお姫さま役に美梨、王子役が学に決まり、脚本を智也たちが書くことになってしまったのだ。

（最悪の展開じゃん……）

お笑いトリオはたがいに顔を見合わせた。

「ちゃんとお笑いも入れてよね！」

みんなの期待は高まる。

「うう……」

引きつる智也の顔を見ながら、助ける術のない暁斗と圭なのだった。

学芸会までそんなに時間はない。台本ができると、劇の練習はすぐにはじまった。

その後の展開はさらに最悪だった。練習をするうちに、美梨と学がやたらいい雰囲気になってきたのだ。

お笑いトリオは、ひそかにあせっていた。

「おい、あのふたり、やばくね?」

「なんだかホントに王子と姫みたいじゃん」

「くう〜、なんでこうなるんだよ!」

『お城の池にすむ物知りのカエル役』に甘んじた智也は気が気ではない。自分に当てて書いた役じゃなかったのに、多数決でこの役に決まってしまった。情けないったらない。

そして、ついに本番当日。はじまる前に、暁斗が智也にささやいた。

「さっき聞いたんだけど、学、ついに美梨に告白して、OKもらったらしい。この芝居、マジだぜ」

（ガーン……。うそだ。うそだって言ってくれ）

美術部員が張りきって描いたポスターも功を奏し、会場の体育館には、生徒たちの家族も入って満席になっている。そして、無情にも、智也たちのクラスの本番がはじまった。

物語は順調に進み、いよいよクライマックスは、王子が告白するシーンだ。だが、そのシーンが来る直前、智也は、ふと我に返った。

（ちょっと待て。自分が美梨ちゃんに告白するために練習してたんじゃないか。いったい何やってんだ、オレ！）

タガが外れた。それまでお姫さまを助けてきた物知りのカエルは、突然台本を無視して、勝手にしゃべりはじめた。

「姫、実は、私は魔法で姿を変えられた王子です。私こそが本物の王子なのです！」

「えっ？　ちょっと、何言ってるのかしら？……カエルさん？」

美梨演じるお姫さまの顔色が変わり、あわてて台詞をとりつくろった。だが、智也は止まらない。

「あなたが、愛の力で私を王子に戻してくれると信じていましたのに！」

一瞬、一同は呆気にとられて固まった。だが芝居を止めるわけにはいかない。ここからは全員、真剣勝負のアドリブとなった。

「おのれ、カエルの分際で何を言う！　こうしてくれる〜」

学が大げさに突き飛ばすと、おもしろおかしくひっくり返るカエルの智也。

「王子さま、乱暴はおやめください！」

姫が王子にすがりつく。だが、起き上がったカエルが、

「お姫さま〜！」

と、近寄ると、

「キャー、何するの。あっちへ行け〜！」

と、逃げまどう。会場は大爆笑の渦となった。

さんざん追い払われ成敗されたカエルは、最後の力を振りしぼり、こう言った。

「いいか、王子。姫を幸せにしないと、この私が許さんからな！」

「ハハーッ！」

カエルの迫力に王子が思わずひれ伏すと、最後の音楽がはじまった。全員で歌を歌い、幕が下りる。

会場は、拍手が鳴り止まない。そして、カーテンコール。

「あいつ、やるなあ。オレ、見直したよ」

「あの顔、オレたちが真っ先に拭いてやろうぜ」

舞台袖で、暁斗と圭はタオルを握りしめた。

カエルの顔の緑の絵の具が流れているのは、汗のせいなんかじゃない。そのことは、ふたりだけが知っていた。

♥ episode - 11

初恋の花束

おとなしい茜は、もう長い間クラスメイトから無視されていた。

両親は不仲で家にも居場所がない。

誕生日を迎えたその日も、茜はひとりで近所の公園のベンチに腰かけていた。

祝ってくれる友だちもいない。気にかけられないのはいつものことだ。

夕方になるとオレンジ色に染められた公園に、学生服の男の子が現れる。

それもここ数年、いつもの光景だった。

彼は幼なじみで同い年の光一。この数年でぐっと大人っぽくなった。

だけど小学生のころから変わらず、茜の誕生日には毎年、道ばたでつんできた花をくれる。うれしくないわけじゃない。

何しろこれが、茜がもらうゆいいつの誕生日プレゼントだから。

けれど中学生にもなって、道ばたでつんできた花って！

手の中の小さな花束を見つめながら、茜は光一に聞いてみた。

「どうして毎年、わたしに花をくれるの？」

「茜がこの花好きだから。よく道ばたでつんで帰ってたじゃん。イヤだった？」

「イヤじゃないよ。うれしいけど……」

茜はすねたように唇を尖らせて言った。

茜は光一のことが好きだった。

いつからかわからないけれど、気がついたらそれは初恋だった。

そんな彼からの誕生日プレゼントが、うれしくないはずがない。

だけどプレゼントをもらっても、光一が茜と同じ気持ちかどうかは、わからない。

気がついたら、言葉が口から滑り出ていた。

「ねえ、わたしのこと、どう思ってるの？」

茜がこんなふうに気持ちをぶつけられるのは、この世の中で光一だけだ。

他の人だったら反応が怖くて、何も言えなくなってしまうから。

「好きだよ」

光一の言葉に、茜は心臓が跳ねた気がした。

「どんなところが？」

茜はまた質問する。光一の気持ちを確かめたい。

空気のような扱いをされる茜に、ただひとり誕生日プレゼントをくれる人。

それが初恋の相手で、その人が自分を好きだという奇跡に、茜は胸が躍ってしかたなかった。

光一は困ったように笑って首をかしげた。そんなしぐさも茜をきゅんとさせる。

「そうだなー。僕が転んだ時に、いちばんに駆けつけてくれたり」

「……そんなの、幼稚園のころの話じゃん」

光一の答えが、自分が望むロマンチックなものとはちがい、茜はがっかりした。

光一はかまわず続ける。

「先生に当てられた時に答えを教えてくれたり、学校の花の世話をこっそりしていたり、学校を休んだらお見舞いに来てくれたり」

そんなこともあったなと、茜は遠い日の記憶に思いをはせた。

光一の目の前で行動していないことでも、茜の親切を光一が気づいてくれていたことがうれしかった。だれも興味がない自分のことを、光一は見てくれていたんだ。

「ピアノの練習を一生懸命していたり、みんなが嫌がる係をやったり」

光一の口からは、茜の好きなところがどんどん出てくる。

茜はだんだん、はずかしくなってきた。

「がんばり屋でまわりのことばかり考えていて……、そんな茜のことが好きだったよ。でも、僕がひかれそうになった時に、かばってかわりにひかれることはなかったよ」

「えっ……」

〈あれ、そうだっけ。そんなことあったんだ……〉

「茜はお人よしがすぎるよ。何も僕のかわりに死ななくてもよかったのに」

その瞬間、雷に打たれたように、茜の記憶がよみがえった。

小学五年生の誕生日、歩道に突っこんできた車から光一をかばって、茜はひかれた。

そしてそのまま、死んでしまったのだ。

視線を落として光一がくれた花束を見る。そのまま足もとを見ると、中学生の光一の足に比べ、自分の足は子どものものだった。

茜は目を見開いたけれど、頭のどこかでそれを知っていたような気もした。

だから、何もかもに納得した。

「そっか。わたし死んじゃってたんだ。……まだまだ光一と一緒に過ごしたかったな」

生きている光一は成長していくのに、茜はずっとあの時のままで、どんどん年齢が離れていってしまう。

茜はそれがさみしかった。

「僕も一緒にいたい。ずっとそばにいて見守っててよ」

すがるようにそう言ってくれる光一の気持ちがうれしい。

だけどそんなことができないのは、小学生のままの茜にだってわかっていた。

いつまでも一緒になんて、きっと不可能だろう。

それならば期限をつけたらどうだろう？

〈神様もきっと、目をつぶってくれる〉

「……それじゃあ、光一が結婚するまでね」

茜はそう期限を決めて、光一と約束した。

それからも茜は、まわりのだれにも気づかれないまま、大好きな光一と一緒に日々を過ごした。光一も変わらず道ばたでつんだ花を、誕生日が来るたびに茜に贈った。


十年後、光一の結婚式を茜は見守っていた。

花嫁が投げたブーケが、茜のもとへと飛んでくる。

茜は手を伸ばしたけれど、それを受け取ることはできなかった。

花束が茜の手をすり抜けて、地面に落ちる。

――お別れの時が、来た。

「……ありがとう、光一。一緒にいられて幸せだった。大好きだった。これからも、ずっと大好き。幸せになってね」

――できるならどうか、わたしのこと、忘れないで。

最後の言葉は光一には伝えずに、茜は心の中でつぶやいた。

幽霊として光一のそばにいた十年間は、茜にとって夢のような日々だった。

だから、これでいいんだと思えた。

景色が溶けて、からだが空に昇っていく。

茜はもう魂だけの存在になって、雲の上からふたりを見つめていた。

たくさんの人が拍手をして、ふたりの幸せを祝福していた。

光一が「ありがとう」と、空を見上げてつぶやく声が聞こえた。

♥ episode - 12

ずっと君が好きだった

「遅れてごめん！」

相変わらずの彩良の顔を見て、俺は緊張の糸が解けたのがわかった。

「彩良が時間通りに来ないことなんてわかってるから大丈夫」

ほら、とでも言うように手元の文庫本を見せる。どうせいつものように遅れてくるだろうと思って時間がつぶせるようにと持参したのだ。とはいえ、あれこれ考えをめぐらせるのに忙しくて、一ページも読めていないのだけれど。

「ひどいなぁ。時間通りに来たことだってあるじゃん」

「それは彩良が待ち合わせ時間を一時間勘違いしてた時」

「バレたか」

「何年のつき合いだと思ってるんだよ」

だよね、と彩良は笑う。笑った顔は幼いころから何も変わってない。

「あ、おばちゃん。あんみつふたつお願いしまーす！」

彩良の声に店の奥から大きな返事が聞こえる。わざわざ注文しなくたって、きっと俺の顔を見た時からおばちゃんはふたり分のあんみつを用意しはじめてるはずだ。

「ほんと、この店はいつ来ても変わらなくて安心する」

「おまえも何も変わってなくて安心するよ」

「馨もその嫌味ったらしいとこ変わってなくて安心する〜」

あいさつがわりのような会話を交わして、同じタイミングでふたりで笑う。変わらないな、と思う。と同時にこれが最後なんだ、とも。

そう。これは彩良と過ごす最後のふたりきりの時間だ。腐れ縁の幼なじみで、ずっとずっと好きだった女の子。俺は、今日こそ彩良に告白すると決めてここに来たのだ。最後のチャンスをのがすわけにはいかない。彩良は、来週結婚するのだから。

「それで、結婚式の準備は順調なのか?」

この甘味処は俺と彩良の家の近所にある店だ。幼いころは両親に連れられてきていたけれど、高校生になったころからは、よく彩良とふたりで待ち合わせてあんみつを食べてきた場所だ。たがいのグチを言い合ったり、くだらないおしゃべりをしたり、無数の時間をここで過ごした。だから告白するならこの場所しかないと思って彩良を呼び出したのだ。彩良は結婚式の準備のために先月から実家に帰ってきていたらしいが、俺は来週の式に参列するために昨日戻ってきたばかりだった。

「もちろん。ドレスもブーケも料理もばっちり! あとは体調管理だけ。馨、わたしがあんみつをおかわりしようとしたら止めてよね。太ったらドレスが着られなくなる」

「彩良が俺の言うことをおとなしく聞いたことがあったか?」

「ない。ないけど、止めて。当日ドレスが入らなかったら馨のせいだからね」

「おまえ、めちゃくちゃ言うなよ。あ、そうだ。旦那の連絡先教えてくれよ。今なら間に合うって伝えたいし」

「何が間に合うって？」

学生時代と何も変わらない会話のテンポに安心する。彩良と俺は同じ幼稚園に通っていたころからこうして、たわいのない会話を交わしてきたのだ。彩良のことならなんでも知っていると思っていたし、逆もそうだろう。俺のはずかしい過去を彩良はぜんぶ知っているからか、地元を離れていても時々脅迫めいたメッセージを送ってくる。

『実家の整理をしてたら、馨が真っ赤な顔して泣いてる写真が出てきたよ！　SNSに上げてもいいよね？　これって小学校の時、かけっこの途中でこけてビリになった時のだよね』

『それなら俺のスマホに入ってる、大学のサークル旅行で酔っ払って鼻に割り箸さして笑ってる彩良の写真も同時にアップしとくわ』

メッセージアプリの彩良とのやりとりはこんなものばかりだ。

「はい、お待たせ〜。彩良ちゃんの結婚のお祝いにスペシャルあんみつだよ。白玉もあんこもたっぷりおまけしておいたよ」

「おばちゃん、ありがとう！」

「しかし、あたしはてっきり彩良ちゃんは馨くんと結婚するとばかり思ってたよ」

「ないない。馨はただの腐れ縁」

「そうそう。彩良はただの腐れ縁」

「ほんと昔から息ピッタリのふたりだねぇ」

おばちゃんは笑いながら奥へと戻っていった。でも俺はおばちゃんの言葉に胸がちくりと痛む。俺だってほんとうは彩良とずっと一緒にいられると思っていたのだ。彩良には俺しかいないと思いたかったたし、事実俺には彩良しかいなかった。でも、彩良にとって俺はただの『腐れ縁』でしかないんだなと改めて実感する。フラれるとわかっていて告白するのはバカみたいだけれど、これは俺のけじめだ。彩良にきちんと気持ちを伝えて前へ進む。『幸せになれよ』と笑って送り出すために。

「おばちゃんたちは元気？」

「うん。元気元気。むしろ元気があり余って披露宴で歌い出したりしないか心配」

「おっちゃんの十八番の演歌が披露宴で聞けるのか。楽しみだな」

「馨はそれを阻止する係なんだからね。しっかりしてよ」

「勝手に俺の係を決めるなよ。だいたいなんで俺の席が親族席なんだよ。おかしいだろ」

「だって馨は家族みたいなものでしょ。お父さんもお母さんも馨のこと息子だと思ってるくらいだし」

「……だよな。俺もたまにおばちゃんから生まれたのかなと思うことある」

家族ぐるみのつき合いだったから、しかたない。俺の両親も彩良のことを娘のようにかわいがっていて、実家の台所には彩良用の茶碗や箸が今も残っている。

「馨は？　仕事は順調？」

「後輩の面倒見たり余計な仕事が増えたけどな」

俺は地元を離れ、システムエンジニアとして働いている。

「馨って昔から後輩の面倒見よかったもんね。大学の時も後輩のために過去問とかまとめて教えてあげてたし。テスト前になるとみんな馨を捕まえようと必死になってたよね。わたしよく『馨先輩どこにいますか?』って聞かれたもん」

「長年彩良の面倒見てきたからな。細胞レベルでそうプログラミングされてるのかも」

「わたしのおかげで後輩に慕われるようになったのか。『どういたしまして』」

「俺はひとことも『ありがとう』とは言ってないけどな」

あんみつを口に運びながら、ついつい昔の話をしてしまう。共通の思い出ならそれこそ腐るほどあるのだからしかたない。

「馨ってムダに優しいから女の子にモテるのに、なぜか女運ないよね。告白されてつき合いはじめるのに、毎回フラれて終わってたし」

「そんな余計なこと覚えてなくていいから」

だれとつき合っていても、俺は彩良のことがいちばん大事だったから、相手もそれに気づいて去っていっただけだ。もちろん彩良はその事実を知らない。

「わたしもフラれるたびに馨に泣きついてたよね。このあんみつを食べるとそれを思い出すわ〜。甘いのにしょっぱい思い出の味ってヤツ？」

「浮気されただの、約束すっぽかされただの……事あるごとに呼び出されてあんみつを食わされた俺にとっては、甘いのに苦い思い出の味だよ」

彩良に泣かれるたびに『俺にしとけばいいのに』と何度言いかけたかわからない。抱きしめたいのにそれができなくて、ハンカチを貸して頭をなでることしかできなかった。

もうすぐ彩良は結婚して、俺に泣きついてくることもなくなるんだな、と思うと、当たり前のことなのにさびしさを感じる。

ダメだ。けじめをつけなければ。このまま延々とふたりの思い出話をしていたら日が暮れてしまう。今日こそ告白すると決めてきたのだ。しっかりしろ、と自分に言い聞かせて、最後のひとつの白玉を口に放りこむ。

「彩良、あのさ……俺……」

勇気を振りしぼったタイミングで、彩良も最後のひとくちを食べ終わる。

「わたし、馨のことが好きだったんだよね」

「は……？」

今まさに自分の口から吐き出そうとした言葉が耳から入ってきてとまどう。今の言葉は彩良が言ったのだろうか？　それとも告白しようと気合いが入りすぎた俺の幻聴？

彩良は呆気にとられている俺の顔を見て、わざとらしくハハハと笑う。

「そういう顔されると思ったから、ずっと言えなかったんだよ……馨とはこうしてずっとバカ話をして笑っていたかったし。中学生のころからずっとずっと馨のことが好きだったけど、距離が近すぎて言えなかった」

それはまさに俺が抱えていた気持ちだった。彩良の困った顔を見たくなかった。幼なじみの関係を壊したくなかった。ずっと彩良の隣で笑っていたかった。彩良も同じ気持ちだったなんて信じられない。

『俺もだよ。俺もずっとずっと彩良のことが好きだった』

そう言おうと思った。そう言うつもりだった。

「ごめんね。急にこんなこと言われても困るよね。でも結婚する前に自分の気持ちにケリをつけたくて……自己満足につき合わせてごめん……」

彩良はごまかすように、よごれてもいないテーブルをおしぼりで拭いている。うつむいているけれど、真っ赤に染まった耳を見ればわかる。泣きそうなのだ。

「……困るわけないだろ。だいたい俺みたいな優しくていい男がずっと隣にいたら好きにならないほうがおかしいって。むしろ当然だ。さっきも言ってただろ。俺たちは家族同然なんだから、バカ話がしたくなったらいつでも連絡してこいよ。ここで腹いっぱいあんみつ食わせてやるからさ」

「……ありがとう。でもいい男ってのは話盛りすぎ。調子に乗るな！」

俺は彩良の笑顔が大好きだった。困らせたり迷わせたり悩ませたりしたくない。だから、彩良が自分で選んだ道をまっすぐ歩いていけるように、背中を押すのが俺の役目だ。

「幸せになれよ、彩良」

甘味処の前で、俺は世界でいちばん大好きな女の子の背中を見送った。

♥ episode - 13

噂

高校に入学して半年、夏休みも終わると、あちこちで告白された、つき合いはじめたなどの噂話を耳にするようになる。

同じクラスの小林徹に片想い中の晶子は、思いきって由香里に相談することにした。

「ねえねえ、私ね、小林くんに告白したいの。顔もスタイルも好みで見とれちゃう。でも誘い出すのが難しくて……。だって『放課後教室に残って』なんて、まんま告白しますって言ってるようなもんでしょ？　だからさ、由香里が呼び出してくれない？」

由香里は晶子に「わかった、様子を伺ってみる」と答えて、部活に向かった。

バスケ部で柔軟体操をしながら、由香里は穂香にグチを言った。

「だれかは言えないけれど……、友だちがね、うちのクラスの小林くんに告白したいらしいの。それで私に『小林くんを呼び出して』って言うのよ。私を橋渡し役にするってこと。それって私が小林くんに近づいても大丈夫だと思ってるよね。私、クラスじゃかわいいって言われてるほうなのにさ。失礼じゃない？　私が先に告白しちゃおうかな」

穂香は「そうなんだー、由香里はかわいいから、横取り成功するよ」と励ました。

穂香は部活からの帰り道、家の方向が同じ清美に相談する。

「秘密の話だけどね、だれかが小林くんに告白するんだって。その橋渡しを頼まれた子は、自分の容姿に自信があって、横取りする気らしいの。小林くんイケメンだもんね。でもそれって容姿に自信のない私には嫌味だよ。わざと言ってるのかなあ」

清美は穂香に「気にしすぎだよ」と言いながら、親友の真由にメッセージを送った。

「秘密だけど、だれかが小林くんに告白するらしい。私が小林くんのこと好きなことをみんな知ってるはずなのに、橋渡しを頼まれた子も、その子にグチを言われた子も、みんな小林くんへの告白を止めないなんて……。私がクラスの人気者じゃないから、みんな私の気持ちを無視するのかな？」

真由は「清美は人気者だよ♥　そのだれかってだれ？　調べて問い詰めたら？」と返した。

「だれかってだれ？」という質問は、これまでのルートを逆にたどって由香里まで届いたが、由香里が「教えられない。私が怒られちゃう、ムリムリ」と答えたので、その内容がまた元のルートを進む。最後まで返ってきて清美は真由に言った。

「結局、小林くんを好きな子の正体はわからなかった。匿名じゃないと行動できないなんてくだらない。ああ、そんな子たちに小林くんを取られたくない！　だいたいね、その子たちは小林くんのことイケメンだから好きらしいんだけど、小林くんは性格もいいんだよ！　優しいし、私の自転車のタイヤがパンクした時、自転車屋さんまで運んでくれてね……」

これまで何度も聞かされた話が、またはじまりそうだったので、真由は清美の話をさえぎって意見する。

「じゃあ、今のうちに清美が告白しなよ！」

「えーっ、きっかけがないよ。こういうのってタイミングが大事じゃない？　それに初めての彼氏になるわけだし、できれば告白されたいんだよね」

　休日の午後、おしゃれなカフェで真由はつき合っている忠明と向かい合う。

「だれがだれだかわからない話なんだよ。顔が見えないまま、相手の腹を探り合ってる感じでさ、聞いてても嫌な気持ちになるだけなんだよね」

「ふーん、でも、なんでみんなすぐに告白しないの？」

「小林くんはモテるから、自信がないのかも。結局、自分が傷つきたくないだけなんだよ。そう、はっきり言っちゃうと、みんな自分のことが大事なだけで、だれも小林くんのことを本当に好きじゃないんじゃないかな」

「小林もかわいそうだな」

　忠明は仲のいい、光則に耳打ちした。

「詳しく言えないけど、近々小林に告白しようとしてくるやつは、本当は自分のことしか考えていない自己中心的なやつだ。小林のことも本当に好きかどうか疑わしい」

「それは小林がかわいそうだな」

光則は小林と仲のいい、洋一郎を呼び出した。

「詳しくは言えないけれど、近々小林は、小林のことを好きかどうかわからないやつから告白されるらしいぜ」

洋一郎は小林のことが心配になって、本人に忠告した。

「近々、おまえに告白してくるやつは、どうもおまえのことを好きじゃないらしい」

「好きじゃないのに告白してくるの？　何かの罰ゲーム？　そんなのひどいよ」

そのころ、晶子は反省していた。

「やっぱり告白は自分の力で成し遂げるべきだよね。由香里に頼んだのはまちがいだった」

そして翌日、晶子は教室で小林に声をかけた。

「小林くん、話があるの、放課後ちょっといいかな？」

「断る！」

「えっ、あの……」

「イヤだ！」

しかし、晶子は（機嫌の悪い表情もかっこいい！）とほれ直した。もうあとには引けない。

「わかった、ここで言う。小林くん、つき合ってください」

「はあ、ぜったいイヤに決まってるだろう、もう話しかけないでくれ！」

晶子は泣きながら教室を飛び出した。

その後、由香里と清美の告白も聞こうともせず断った小林は、乙女心のわからない極悪男と噂されるようになった。

♥ episode - 14

ラブレター

『電車で見かけて以来、あなたのことが好きになってしまいました。四月二十日の金曜日の午後五時に花守駅(はなもりえき)の花壇(かだん)の前で待っています』

とんでもないものを拾ってしまった。伊吹(いぶき)は手紙を片手(かたて)に固(かた)まっていた。今朝(けさ)、いつもの電車の中で手紙が落ちているのを見つけた。宛て名(あてな)が書かれていなかったので、つい開封(かいふう)して中身を見たのがダメだった。これはあきらかにラブレターだ。手紙の本文にも相手の名前も差し出し人の名前もないけれど、だれかが一生懸命(いっしょうけんめい)想(おも)いを伝えようと勇気を出して書いた手紙にちがいない。

「受け取った相手が落としたのか、それとも渡(わた)す前に落としちゃったのかな……」

高校二年生になる伊吹は、困っている人を見ると放っておけない性分だ。電車でもお年寄りや子連れの人を見かけたら席をゆずるし、落とし物があったら必ず拾う。学校でも掃除当番をかわってあげたり、忘れ物をした知らない子に教科書を貸すことも日常茶飯事だ。いつもなら電車で落とし物を拾ったら駅員さんに渡すのだけれど、今日は降りたホームで気分が悪くなった人を見つけて、ベンチに誘導したり駅員さんを呼んだりしていてバタバタしていたから、すっかり手紙を渡すのを忘れてしまったのだ。

「しかもこれって今日じゃん。学校帰りに駅員さんに渡そうと思ったけど……」

中身を読んでしまった以上、知らなかったフリをして手紙を駅員さんに渡せる伊吹ではない。相手は今日の五時に伊吹も使っている駅の花壇の前で待っているというのだ。だれも来なかったらきっと悲しむだろう。

「自分がかわりに五時に花壇の前に行こう。それでこの手紙を返そう。少なくとも待ちぼうけになることは避けられる」

伊吹はこの手紙の差し出し人を探すことにした。

「えーと、花壇の前、花壇の前……」

伊吹は放課後、寄り道することなく学校の最寄りの駅である花守駅までやってきた。通学の時とは別の改札口側にある花壇のほうへ向かい、手紙の差し出し人を探す。手紙は丸みがあってかわいらしい字で書かれていたから、おそらく女の子だろう。それらしき子はいないだろうかと、手紙を片手にあたりを見渡しているとひとりの女の子が伊吹の視界に入った。

このあたりでは有名な私立女子校の制服を着た女の子が、ひとりでソワソワしながら花壇の前で待っている。

「あの、もしかして……」

伊吹が手紙を手にセーラー服を着た女の子に声をかけると、彼女はうれしそうに頬をゆるませた。

「来てくれてありがとう！」

「え？　いや、そうじゃなくて俺はこの手紙を君に返そうと……」

伊吹が手紙を渡そうと差し出したけれど、彼女は受け取ることなく伊吹の顔をまっすぐに見たままだ。

「その手紙はあなた宛てだよ」

彼女の言葉に伊吹はおどろく。伊吹は今朝、駅に着いて降りようと立ち上がったところで、扉の近くにこれが落ちているのを見つけただけだ。この手紙が自分宛てだと言われてもすぐには信じられない。

「あなたの名前を知らないから宛て名も書けなかったの」

「え？　でも、なんで俺のことを？」

「電車の中で見かけていたの。お年寄りや妊婦さんにはいつも席をゆずってあげてるし、たとえ十円だって拾ったら駅員さんに届けてるでしょ？　わたしにはできないことだからすごいなって思って……気になって毎日あなたのことを見てたら、その……好きになっちゃった」

伊吹のことを本当によく見ているのだとわかるその言葉に、伊吹のほうが顔が赤くなってしまう。

「直接手紙を渡せばよかったんだけど、なかなか勇気が出なくて……だからあなたが気づくようにわざとその手紙を落としたの。読んでくれるかわからなかったけど、もし読んでくれてここに来てくれたら、ちゃんと勇気を出そうと思ったんだ」

「そうだったんだ」

いつもなら手紙を駅員さんに渡していたはずだ。しかし、いろんな偶然が重なって、ふたりはこうして話ができている。そう思うと、運命のようなものを感じる。

「まずは名前を教えてくれる？　わたしは野々花です」

伊吹も照れながらも自分の名前を名乗る。明日からふたりの通学時間は、楽しくなりそうだ。

♥episode - 15

悪魔の契約

冬のにおいがする十一月の終わり、あたしはついに悪魔を呼び出すことに成功した。
あたしの名前は古本ユイ。十七歳の高校二年生。
だけど二年生になってからは、あんまり学校には行けていない。
小さいころから抱えていた病気がひどくなったせいだ。
冬休みになると、あたしは入院することが決まっている。
たぶんもう、学校には行けないと思う。
お医者さんもお母さんもはっきりとは言わないけれど、雰囲気でわかる。
だからあたしは決めたんだ。
図書室の書庫で見つけた、悪魔の召喚をやってみようって。

悪魔を召喚すると、望みを叶えてもらうことができるんだって。

叶えられる願いは、報酬の大きさによって決まるらしい。

正直、冗談半分だった。


魔法陣の中に座るあたしの目の前に現れた悪魔は、アニメから出てきたような、とびきりの美形な男の人だった。これって、夢？

「悪魔って、かっこいい……」

思わずつぶやいたあたしに、悪魔は妖艶に微笑む。

「呼び出した人間の望む姿に映るからな。気に入ってもらえたなら何よりだ」

そうか。だから二次元のキャラみたいにかっこいいのか。

「それならあたしの望むこともわかるの？」

あたしは魔法陣の中で縮こまるように座ったまま、悪魔に話しかけた。

この魔法陣があたしを悪魔から守ってくれるから、こうして交渉ができるんだ。

「わかるわけがないだろう。おまえが見ているおれの姿もおれにはわからない」

悪魔はフンと興味がなさそうに鼻を鳴らした。

やっぱり本に書いてあった通り、悪魔との契約は自分で交渉するしかないみたいだ。

あたしははずかしかったけれど勇気を出して、悪魔に願いを伝えた。

「お、同じクラスの松野くんと、仲良くなりたいの。話すきっかけが欲しいっていうか」

本当は両想いになりたいって言いたかったけれど、はずかしすぎて言えなかった。

だってあたしごとき地味キャラが、学年でいちばん人気の松野くんとなんて。

学校のだれかに聞かれたら、はずかしくて学校に行けなくなる！

「なるほど色恋か。報酬は？」

「で、できるの？」

本には低級な悪魔は、簡単な願いしか叶えられないって書いてあった。

目の前の悪魔が低級かどうかなんて、あたしにはわかりっこない。

「報酬は？」

悪魔は唇の端をにいっと上げて微笑んだ。

できるらしい。びっくりしたけど、あげられる報酬なんて他に思いつかなかった。

どうせあたしには未来なんてないし。あたしは必死で叫んだ。

「あ、あたしの残りの寿命を！」

たぶんあたしの寿命は、そんなにたくさんは残っていないと思う。

けれど、悪魔はバカにしたようにあたしを見下して言った。

「そんな簡単な願いに、寿命を使うのか？」

悪魔には簡単でも、あたしには簡単じゃないんだけど！

どうせ、あたしの残りの人生はきっと病院生活で終わりだ。

だったら最後にいい思い出をつくって、終わりにしたい。

「――おまえとの契約、成立だ」

ぞっとするほど美しい声でささやくと、悪魔はあたしの前から消えていった。

次の日、図書室で受付カウンターに座るあたしの前に、松野くんが現れた。

松野くんは陸上部で部活がない時も、いつも走っている元気な男の子だ。

クラスの男子とはしゃいだり、女子とも分けへだてなくしゃべっている。

だけどあたしはおしゃべりが得意じゃないから、松野くんとは必要最小限の会話しかしたことがない。

「あれ、古本さん。図書委員だったの？」

必要最小限しか許されないと思っていた松野くんとの会話が突然、許容値を広げた。

昼休みの図書室で受付カウンターに座るあたしに、松野くんが声をかけてきたのだ。

「え？」

図書室で見かけたことのない松野くんが、昼休みに図書室に現れるなんて！

その少ない可能性の中に、あたしの図書委員の当番の日が含まれていて、さらにあたしに話しかけてくる確率は……、ええと？

「古本さん？」

「ええ？」

「おれのこと知ってる？　えっと、同じクラスなんだけど」

おどろきでうまく返事ができないでいると、さすがに松野くんが気まずそうに聞いてきた。困った表情でさえも松野くんはかっこいい。

「知ってます……！　松野くんです！」

〈――さすが悪魔だ！〉

あたしは心の中で、ガッツポーズをした。

「ははっ。古本さんっておもしろいね。あのさ、一年の時も同じクラスだったよね？」

「……はい」

「よく本読んでたよね」

「うん、まあ」

松野くんとあたしの共通点なんて、同じクラスであることくらいしかないと思っていたのに、なんと松野くんは、あたしの趣味である読書の話題を振ってくれた。

「……おすすめの本とか、ある？」

それからあたしは、松野くんに自分が読んでいるミステリー小説のシリーズを紹介した。松野くんは成績が下がったことが原因で、親にスマートフォンを没収されてしまったらしく、かわりのヒマつぶしを探して、図書室へやってきたらしい。

松野くんのスマートフォンは三日で戻ってきたけれど、そのあともあたしが貸したシリーズを読んでくれて、読書にハマったみたいだ。

あたしたちはそのシリーズの話題で、すっかり会話も盛り上がるようになっていた。

体調が悪くて学校に行けない時も、スマートフォンでメッセージを送ってくれる。

それは、願っていた通りの日々だった。

——悪魔はあれ以来、あたしの前には現れない。

「夢だったのかなあ。あれって」

終業式の日、松野くんと一緒に学校から帰った。

もうすっかり慣れた友だちの距離で、肩が触れそうなくらいの隣に松野くんがいる。

こうしていることが自然で、悪魔を呼び出したことなんて、遠い昔のよう。

「夢って？」

松野くんが不思議そうにあたしを見下ろす。

隣に並んで初めて、松野くんがこんなに背の高いことを知った。

「ううん。なんでもないよ」

それだけじゃない。松野くんのおすすめの牛丼の味も、好きなバトルマンガも、あたしはこの一か月で、たくさんの知らないことを知った。

そしてひとつ知るごとに、あたしは彼のことを好きだと思うのだ。

「……古本さん、冬休みは一緒に遊べる？」

人なつっこくて社交的な松野くんが、めずらしく緊張した声で聞いた。

あたしは胸がギュウッと苦しくなった。今日はあたしが決めた、最後の日だ。

「……難しいかも。あたし、もう学校には来ないんだよね」

サラッとなんでもないことのように言った。

ああ、こんな現実なかったらよかったのに。

楽しい思い出をつくって、それで満足なんて思うはずなかった。

「え、なんで⁉」

「ごめん、松野くん。最初から決まってたんだ。最後に仲良くなれて、うれしかったよ。友だちになってくれてありがとう」

キリキリとしめつけられる胸の痛みを無視して、あたしは松野くんに手を差し出した。

自分が決めたことだから、泣かないように我慢した。

握手をした松野くんの手は、あたたかくて大きかった。

「そんな……、転校するっていうこと？　おれ、古本さんのこと好きだったのに」

「え……？」

「一年生の時から読書してる横顔がいいなって思って、長い髪を耳にかけるしぐさが好きだったんだ。二年生になってから、あんまり学校に来なくなって、なんとか話せたらいいなって思ってたのに……」

「ご、ごめん！　松野くん！」

あたしは頭を深く下げた。

「謝らないでよ。転校先、そんなに遠いの？」

「……うん。ごめんね」


冬休み前日のその夜、悪魔が再びあたしの前に現れた。

やっぱりあたしが悪魔を呼び出したことは、夢なんかじゃなかった。

「報酬をもらいにきた」

悪魔はおごそかに言った。

「――ねえ、悪魔、サービスしすぎだよ。松野くんの気持ちまで変えちゃうなんて。あたしの寿命、そんなに残ってたの？」

あたしはそこまでだいそれた願いを、口にはしなかったのに。

けれど悪魔はバカにしたように、あたしを見下ろして言った。

「悪魔がサービスなんかするか。おれは他人の気持ちに干渉はしていない。これはおまえが起こした結果だ。約束だ。おまえの寿命をもらうぞ」

「え――……」

松野くんがあたしを好きだと思ってくれたのは、本当の気持ちだったんだ。

もっと早く勇気を出して、自分から話しかけてみればよかった。

そうしたら同じ別れでも、もっとちがっていたかもしれないのに……。

♥ episode - 16

理科室のコーヒータイム

「もしもし、瑠衣？　遅くなってごめんね。今から帰るから。お惣菜は職場で買ったから、ごはんだけ炊いといて！」

水野さんは、ふたつの買い物袋を片手に持ち替えて、娘に電話した。今日は特売セールでお店は激混み。そういえば明日は誕生日だし、自分のためにせめて花くらい買おうと思っていたのに、残業して店を出ると、花屋はすでに閉まったあとだった。

「しょうがないか。明日は休みだから、瑠衣と一緒に買い物に行って、久々に羽でも伸ばそうかな」

こんな余裕のない毎日を続けてもう十年以上。娘には我慢させっぱなしだと、心の中で謝ってばかりのこのごろだ。

夜道を急いでいると、どこからかコーヒーのいい香りがしてきた。

「へえ、こんなところで、コーヒーの移動販売？」

いつも通る公園の脇に、一台のワゴン車が小さな明かりを灯していた。

（いいなあ、コーヒーの香りって）

立ち止まる間も惜しんで、水野さんは家路に着く。

瑠衣は、十六歳という年齢にしては、いい子すぎるほどしっかりしている。わがままを言って水野さんを困らせたこともほとんどないし、いつも穏やかで、友だちにも慕われている。逆に、手がかからなすぎることが、水野さんを時に不安にさせたり、申しわけなく思わせたりしていた。

休日は休日で、たまった家事だったり、近くに住む両親が営むクリーニング屋のヘルプだったりであっという間に過ぎていく。

（いつもゆっくりそばにいてあげられないから、明日はあの子の行きたいところに行って、食べたいものを食べて、好きなものを買ってあげよう。ふふっ、楽しみ）

自分の誕生日なのに、そう思うとなんだかワクワクしてくる。

（でも、あの子、何が欲しいって言わないのよねえ。遠慮しているわけでもなさそうだけど、たまには言ってくれてもいいのになあ）

水野さんは小さくため息をついた。

「ただいまー」

玄関のドアを開けると、炊きたてのごはんと味噌汁のいいにおいがした。

「あ、またお味噌汁つくってくれたんだ。ありがとうね」

「うん、ママの好きな、ほうれん草と溶き卵の味噌汁にしたよ。あと、トマトがあったからバジル振ってサラダにした。明日誕生日だから、プチ前夜祭ね」

（うう、さすがだわ……。私はさっきまで自分の誕生日を忘れてたくらいなのに）

ウルウルするのを抑えて、さっき思いついた計画を話してみる。

「ねえ、明日は一緒に買い物に行かない？　そのあと、ふたりで外食しようよ。瑠衣の好きなものでいいからさ」

「なんでママの誕生日に、私の好きなもの食べるのよ」

「いいじゃない。んー、たまにはそうさせてもらえると、それが自分へのプレゼントにもなるっていうか、なんていうか……」

うまく説明できない。なんだか変な言い方になってしまった。

すると、瑠衣がめずらしく素直に言った。

「わかった。それなら、行きたいお店があるんだ」


次の日、瑠衣に連れられていったところは、なんと、昨日の仕事帰りに見かけた、公園の脇の移動コーヒー店だった。

「え、ここ？」

「いらっしゃいませ」

『ほっと』というコーヒー店の主は、メガネも帽子もおしゃれな、ひげ面の男性だった。

だが、エプロンをかけたおなかが少し出っぱっているのが、すべての印象を丸く安心感のあるものにしていた。

水野さんがおどろいたのは、瑠衣はここに来るのが初めてではないことだった。

「塾の帰りに夕立に降られちゃって、お店の屋根の下に入れてもらったの。その時コーヒーを頼んだら、ものすごくおいしくて感動したんだ」

「いや、あれはすごい夕立でしたね。雨宿りしてもらうだけでよかったのに、オーダーまでしていただいて」

店主が微笑んだ。

「その時、店長さんにいろいろな話を聞いてもらったんだ。学校でちょっと嫌なことがあったんだけど、おかげですごく気が楽になったの」

「そうだったの。ありがとうございます。私が仕事で忙しいもので……」

「あ、もしかしたら、今日はお誕生日ですか？」

「はい。でも、どうして……」

「お母さんの誕生日に、おいしいコーヒーを飲ませてあげたいって言ってたから」

「はあ……」

水野さんは、ため息をついた。思えば自分はいつも、

「ああー、ゆっくりコーヒーを淹れて、とっておきのスイーツを食べて、好きな映画でも見たいわね～」

なんて言いながら、結局せかせかとインスタントで済ませていた。それは自分の性格が落ち着きがないからで、コーヒーを淹れる時間くらいつくろうと思えばつくれたかもしれないのに、そんな努力もしないまま……。

でも、瑠衣はちゃんと覚えていたんだ。まったく、娘にはかなわない。

『ほっと』のコーヒーは、本当においしく、心にしみわたった。おかげでいい誕生日を過ごすことができた。

それから数日後。瑠衣が、こんなことを言い出した。

「私、ママにおいしいコーヒーを淹れてあげられるようになりたいから、『ほっと』の

店長さんに教わりたいの。お願いしてもいいと思う？」

「いくらなんでも、それはどうかなあ。あちらはプロなんだし」

「だめならだめであきらめるから、ママ、一緒に行ってくれない？　お願い」

そんなわけで、数日後、再びふたりで店を訪ねた。

もうあたりは暗くなっていて、お客は水野さんと瑠衣だけだった。

「こんばんは。よくいらっしゃいました」

まずコーヒーをオーダーすると、瑠衣と水野さんそれぞれに、別の豆のコーヒーを淹れてくれた。

「すごい。お客さんを見て、豆を選ぶんですか？」

瑠衣が、わくわくした声で尋ねた。

「今日はサービスです。おふたりだけですから」

店主は、茶目っ気たっぷりにひげ面をほころばせた。

「すてき！」

店主と瑠衣のやりとりを見ながら、水野さんはなんとも言えない気持ちに包まれていた。まだまだ子どもだと思っていたのは母親の自分だけなのかも。仕事で忙しくしている間に、娘はいろいろな経験をして大人になっていくんだ。ちょっぴり生意気だけど。

「ああ、おいしい……」

カップを両手で包んでゆっくり味わううちに、遠い思い出がよみがえってきて、思わず水野さんは話しはじめた。

中学二年生のころ、水野さんの学校は荒れていた。クラスでイジメもあって、水野さんも標的になっていたことがあった。そんなある日、ボス的な女子に呼び出され、必死で逃げこんだのが理科室だった。

「そうしたら、奥の準備室からひょろっとした三年生の男子が現れてね。泣きそうになりながら机の下に隠れていた私をかくまってくれたの。そのうちに、なぜかコーヒーのいい香りがしてきたのよ。理科室なのに」

なんと、その人はフラスコをアルコールランプで温めてお湯を沸かし、取っ手つきのビーカーにドリッパーをのせて、コーヒーを淹れてくれたのだ。坂下さんという人だった。

「いかにも真面目そうな整った顔立ちに、黒縁メガネでね。きゃしゃな長い指がとてもきれいで、ずっと見とれてたなぁ。『容器はぜんぶちゃんと洗って、消毒してあるから大丈夫だよ。でも、コーヒーのことは内緒だからね』って。もう、ドキドキしちゃった」

「ええ～、ママにもそんなときめく思い出があったの？　初耳だよ！」

いつも冷静な瑠衣が、目をキラキラさせた。

「そのコーヒーのおいしかったこと。つらかった毎日がいやされて、まるで溶けていくみたいだった」

「ねえねえ、それからどうしたの？」

「うーん、そのあとたしか二回……、こっそりコーヒーを飲みにいったかな。無口な先輩だったけど、私のつらい気持ちを、ただ黙って聞いてくれて。学校の中とはとても思

HOT

えない、静かで不思議な時間だったわ」

水野さんは、時間を巻き戻すように、思い出を語っていた。

「あれが初恋だったのかな。そのあと、理科室に鍵がかけられちゃって、それっきり会えなくなったけど。思えば、長い年月がたったのね。あの先輩、今どうしているのかなあ」

すると、黙って聞いていた店主が、静かな声で言った。

「その先輩は、あの女の子がまた来たら、とびきりおいしいコーヒーを淹れてあげるのを楽しみにして、ずっと待っていました。でもあのあと、先生に見つかって理科室を出禁になっちゃって。それで、まわりまわって、こうしてコーヒー屋になりましたとさ」

「へ?」

水野さんはぽかんと店主を見て、それから首を振った。

「いやいやいや」

ひげにおおわれていて素顔が見えない。手は大きいけど、きゃしゃどころかガッシリしているし、おなかは丸いし……。でも、よーく目を見ると……。

「えっ。えーっ⁉」

「坂下です。お嬢さんが連れてこられた時から僕は気がついていました。まさか、遠く離れたこの町で再会できるとは。さっき淹れたのは、あの理科室のコーヒーにいちばん近いかなと思ったブレンドです。なんなら、卒業アルバム持ってきますよ。だいぶ見た目が変わっちゃいましたけど、ひげを剃ったらわかるかなあ」

「あの、坂下さん！　母に出したコーヒーの淹れ方、教えていただけませんか？」

呆気にとられる水野さんの横で、目を丸くして成り行きを見ていた瑠衣が、今だとばかりに尋ねた。

「それからあのー、たいへん失礼ですが、ご結婚は……」

「ちょっと、瑠衣！　そういうことは聞かないの！」

「コーヒーの淹れ方ならいつでもお教えしますよ。あと、……結婚はしそびれました。コーヒーが恋人になっちゃって。はっはっは」

坂下さんは、頭をかいた。

「なるほど」

瑠衣は、ちょっぴりうれしそうにうなずいた。


水野さんの仕事は相変わらず忙しいけれど、坂下さん仕込みの淹れ方を瑠衣に教わって、夕食後、夢のコーヒータイムをつくることもできるようになった。

それから、時々瑠衣と『ほっと』に立ち寄るようになった。

「ママ、このごろ生き生きしてるね。その調子！　でも、その服じゃなくてこっちのブラウスにしなよ。あと、メイクは自然にね。ママはもともとかわいいんだから」

「あ、はい……」

どっちが保護者なのやら。相変わらず、瑠衣にはかなわない。

でも、水野さんの日々が、少しだけふんわりと『ほっと』になっていること。それだけはたしかなのだった。

♥episode - 17

告白舞踏会

ダンス講師であるランタッテ伯爵夫人は、広間のドアを開けて王子を探した。

「だれか！　王子を見ませんでしたか？　みなさん、王子を探してください」

この王国では、皇太子であるプルルス王子が花嫁を決める年ごろになっていた。

半年後に花嫁を決める舞踏会が開かれるが、それは形式的なもので、王子がその場で「好きです」と言えば、相手は断れない仕組みとなっている。だから王子がやることは場をしらけさせない程度のダンスを披露するだけだ。

ところがまだまだ自由に遊びたい王子は結婚を嫌がって、ダンスを練習しようとしない。レッスンの時間になると、城内にある果樹園に逃げこんでいた。

「プルルス王子見つけた！」

ブドウをもいで食べていた王子は急に名前を呼ばれて、飛び上がった。

「ひっ！　……なんだ、マローネか」

プルルス王子の手にしていたブドウを横取りして頬張ったのは、幼なじみのヴェルデータ侯爵家令嬢マローネだ。

「ランタッテ伯爵夫人が顔を真っ赤にして怒ってたよ。このままじゃ、花嫁を決める『告白舞踏会』での王子のダンスが心配だって」

「そのまま中止になればいい。結婚なんてしたくない。父上みたいに母上の顔色を伺うばかりの毎日になってしまう。父上は趣味の狩りも好きにできないんだからな」

「それは王さまの狩りが危険だからでしょう。動物を追い詰めるために火を起こして山火事になったり、仕留め損ねた熊に家来が襲われたり、お妃さまじゃなくても怒るよ」

一歳年上のマローネは弟をたしなめるかのような口調になる。長年のつき合いから、王子もふてくされた顔で言い返した。

「ふん。とにかく結婚なんてしたくない！　女につきまとわれるなんてごめんだ」

「はあ？　お言葉ですけどね。あなたにつきまといたい女性がいるとでも思ってるの？」

「なんだと？」

「舞踏会であなたに『好きです』と言われた女性は断れないのよ。かわいそうに」

「かわいそうってことはないだろう。皇太子妃になれるんだぞ」

「それでも、こんなお子さま気分が抜けない花婿なんて、イヤに決まってる！」

「安心しろ、まちがってもおまえのことは選ばない」

「選ばれなくて結構よ。私は近衛隊長が好きなんだから」

王子はこっそり近衛隊長について調べた。

近衛隊長は平民出身の意欲あふれる若者で、仕事ぶりには定評があるが、女性関係は派手で、結婚詐欺の疑いもあることがわかり、王子は即座に近衛隊長をクビにした。

マローネは王子に言った。

「私も彼の正体はうすうす気づいていたんだけどね。でもまあ助かった。ありがとう」

「けっ。別におまえのためにやつをクビにしたわけじゃない」

「あっそう。じゃあ感謝しなくていいのね」

舞踏会の日が刻一刻とせまり、王子のダンスのレッスンも多くの召し使いに見張られ、サボることができなくなっていた。そのうえランタッテ伯爵夫人がダンスの練習相手にと連れてきたローズという女性が、なかなかの美人だったので王子もやる気になっていた。

「ローズは美人なうえにダンスが上手で、優しくて、申し分ない女性だ」

その言葉を聞いたマローネは心配そうな顔をした。

「そうかな？　目つきが鋭くて、怖い気がするんだけど」

「は？　ローズの鋭い目つきなんて見たことないぞ。いつも優しい目をしている。おまえの性格がひねくれているんじゃないのか？」

しかしその後、マローネの調べでローズは敵国のスパイだとわかり追放された。

「ローズがスパイだなんて。オレたちの愛は本物だったのに……」

「何を言ってるの？　ローズは敵国に夫と三人の子どもがいたのよ」

「えっ！　うそっ！　そんなこと知りたくなかった。マローネはいじわるだな」

「事実を知ったほうが、傷も早く癒えるでしょ」


次にマローネが心をとめた男性は、王宮に召し抱えられたピアニストだったが、王子の調べで窃盗団の一味だとわかった。

「ああ、あんなに繊細で美しい曲を奏でる人が、窃盗犯だったなんて」

「相変わらず男を見る目がないな。こんな近くに最上の男子がいるのにスルーだしな」

「え？　何か言った？　何も聞こえませんけど」

次に王子が気に入った女性は、貢ぎ物を持ってきた遠い国の姫だった。

「今度の女性は、れっきとした一国の姫君だ。彼女はすばらしい！　結婚したい！」

「レオイア王国って政情が不安定だったんじゃない？　遠い国に来る余裕あるかな？」

マローネが探ってみると、レオイア王国はすでに隣国に吸収されており、姫は王位目当てに近づいた偽者だった。マローネは偽者の姫を追放して言った。

「新しく知り合う人は、みんな王位や王宮の財宝目当てね。やっぱり結婚相手は長く知り合っている人から選ぶしかないいんじゃない？」

「何？　マローネ、それは暗にオレにおまえを選べと言ってるのか？　逆プロポーズ？」

「まさか！　そんなわけないでしょ！　他にも同じ年ごろの友人はいるでしょ！」

ところが同年代の友人たちは、「王子もマローネもいい加減、自分の気持ちに気づけばいいのに」と言って相手にせず、早々に他の相手と結婚してしまったり、告白舞踏会の時期に旅行に出かけたりして、告白舞踏会には欠席の意思を表明した。


告白舞踏会の当日。

出席した花嫁候補はマローネひとりだった。国王夫妻をはじめ、にやにやしている多くの人に見守られながら、ふたりは踊る。

「他にだれもいないし……しかたがないなあ。別に好きじゃないけど……」

「好きじゃないけど、好きって言われたら断れない仕組みだしなあ……」

往生際の悪いふたりの前に大臣が出てきて言った。

「おたがい好きなんですよね。儀式として必要なので『好き』と言い合ってください」

「は？　好き？　別に好きじゃない！　っていうか……」

「そうです！　す、好きなんかじゃ……」

大臣は眉を上げた。

「はいはい。おたがい、相手に気になる人ができたと知ると、必死にその人のことを調べ上げて、追放してきたじゃないですか。もう、ふたりともめぼしい結婚相手はおたがいしか残っていません。このあと、お披露目の儀式やらなんやら、予定が詰まっているので、さっさとしてください。さあ、さん、はい！」

大臣の気迫に押され、ふたりはそっぽを向きながら、言い合った。

「す、好きです、結婚してください」

「はい、わかりました。私も好きです」

広間は盛大な拍手に包まれた。

♥episode - 18

幼なじみのあいつ

朝の通学電車は今日もそこそこ混み合っている。真姫はふとスマートフォンから顔を上げ、ぼんやりと車内を眺めた。すると、人混みの向こうに、ひとりの少年の端正な横顔が目に入った。

「ん？」

一心不乱に本を読んでいるらしい。うつむき加減の額から鼻筋のラインに見覚えがあった。

（似てるけど、いやいやいやいや、あんなにカッコいいわけないないか……）

だが、電車がカーブして、その横顔がはっきりと見えた時、心臓がドキッとした。

（うそ！　あれって陸？）

陸は、いわゆる幼なじみだ。小学校で真姫の妹と同じクラスになったことをきっかけに仲良くなり、学年差も気にせず、よく一緒に遊んでいた。

当時、真姫は小学生にしては背が高くて、それが悩みのタネでもあった。陸は男子の中でも背が低くて童顔。そのうえ、気が弱く、涙もろくて、感激しても悲しくても、すぐに泣いてしまう。

木に登ったのはいいけど下りられなくなって、運動神経のいい真姫が迎えにいって助けたこともあったし、下校途中で落とし物をしたと泣いているのを見て、一緒に探してあげたことも、おんぶして家まで送ってあげたこともある。走るのも遅いし、おっちょこちょいだし、頼りない弟みたいで、ついつい世話を焼いてしまうのだった。

中学も同じ学校で、陸は相変わらず小柄で細かったから、姉と弟みたいな関係はずっと変わらなかった。だが、高校で別々になり、まったく接点がなくなっていた。

（同じ通学電車だったんだ）

二年ぶりに見た陸は、背は相変わらず高くはないが、ずいぶん大人っぽくなっていた。

それに引きかえ、自分は代わり映えしないように思われて、真姫は思わず乗客のかげに身をひそめた。

（いったいなんの本を読んでるの？　あの陸が読書なんて、信じらんない）

チラチラ見ていると、カラフルなカバーデザインが目に入った。最近話題になっているのですぐにわかった。十年前に亡くなったロックミュージシャンの詩集だ。

（うそ、意外～！）

そう思いながら、その日の帰り道、本屋で同じ本を買ってしまった。

それからも、真姫は毎朝電車の中で陸の姿を探した。同じ車両の中の離れた場所で、同じ本を読んでいることがうれしくて、なんだかニヤけてしまう。

ある日、帰りの電車で、真姫は例の詩集を開いて読みふけっていた。五十代で急逝したその人が、親の世代のカリスマ的なロッカーであることは知っていたが、初めて詩を読んで、尖っているけど純粋な感覚と、時代を超えても古びない独特な言葉選びに心をつかまれた。

「うーん、カッコいい……」

思わずつぶやくと、前に立っていた人が答えた。

「だよね～！」

はっと見上げて、息が止まりそうになった。陸がそこにいた。真姫を見てニコニコしている。すっかり声変わりしているが、無邪気なかわいい笑顔はそのまんま。ぜんぜん変わってない！　なんなの、この絶妙なアンバランス。

「えっ、ひ、久しぶり……」

「うん、久しぶり！」

陸は、ためらう様子もなく、真姫の隣に座った。

「なかなか声がかけられなかったんだけどさ、だいぶ前から気がついてたんだ。今日見たら、なんとオレとおんなじ本読んでるじゃん。うれしくなっちゃって」

なんの心の準備もできていなかったから、アワアワするしかない。うろたえながらなんとか話をして、メッセージアプリの連絡先を交換した。

『今日も四時三分の急行に乗るよ。三両目だからね！』

次の日は、陸からそんなメッセージが送られてきた。

「なんなのこれ。相変わらず無邪気っていうか、あっけらかんっていうか……」

思わず笑ってしまう。それから、ふたりは時々待ち合わせて帰るようになった。

あの陸が、一人前に好きな本や詩、音楽のことなんかを真面目に話すのがなんだかおかしい。おかしいけど、カッコいい。記憶の中の幼さとのアンバランスがたまらない。

「身長は、まだずいぶんちがうよね」

相変わらず自分のほうが背が高いのがはずかしくて、つい自虐的にからかったら、

「大丈夫、オレそのうち追い越すから」

と、ニヤッとされて、さらにキュンとしてしまった。

日がたつごとに思いがつのって、苦しくてたまらない。

（どうすればいいの？　ずっと弟みたいに接してきたんだもん。告白したら、この関係

は壊れちゃうかも……）

そんなある日のこと。陸からこんなメッセージが送られてきた。

『今日、海浜公園の防波堤に行かない？』

海浜公園は、ふたりの家からもそう遠くない。小さいころは遊び場だったが、実は夕日が見えるデートスポットとしても有名だ。

（勇気を出して気持ちを伝えよう。この日をのがしたら、もうチャンスはないかも）

真姫は、ひそかに決心した。

陸は、防波堤で足をぶらぶらさせて待っていた。ふたりはいろいろな話をした。小さいころの思い出や、高校生活のこと……。自然すぎるほど自然に、話が弾んでいく。

（楽しいけど……この雰囲気じゃ、今日は告白できないかも）

真姫が、心の中で小さくため息をついた時だ。陸が突然改まって、こんな話をしだした。

「あのころは頼りになるお姉ちゃんって感じで、ただカッコいいなって思ってた。でも、二年ぶりに真姫を見かけて、キレイになったなって……。それから気づかれないように時々遠くから見てたんだ」

（へ？）

「そしたらある日、オレが大好きなミュージシャンの詩集を読んでて……すげーうれしくて、なんか運命感じちゃってさ。で、また話すようになって、子どものころとぜんぜんちがう気持ちで、どんどん真姫のこと好きになっちゃって……」

（えーっ）

「……今度没後十年の記念ライブがあるんだけど、よかったら一緒に行かない？」

「ほんと？　もちろん！　だって私も電車で陸のことずっと……」

そこまで言いかけた時、

「あーっ！」

いきなり陸が叫んだ。指さすほうを見ると、なんとスニーカーが片方落ちて、波間をぷかぷかと遠ざかっていくではないか。

「うそでしょ?」

デジャブ。これと似たようなことが小学生の時にあった気がする。そうだ。公園で缶けりをやっていて、缶のかわりに運動靴が飛んでって……。草むらに入っちゃったのを探してやったっけ。陸はよく、靴のかかとを踏んでいてお母さんに叱られてた。

「もう、何してんの! ちゃんと履きなさいって、いつも言われてたじゃん」

「あー、そういえばそうだったかも……」

「ほら、立って! 肩貸すから。あのさ、陸、変わってなくてうれしいよ」

「それってほめてないでしょ。なんでこうなるんだろーなー、オレ」

「ほめてるって。カワイイところが変わってないんだよ!」

「何それ?」

堤防の上は、別に靴がなくたって歩けるのに、陸は、真姫の肩に手を置いてケンケンをしながら歩いている。

(まさか、わざと落とした? いや、それはないよね。だってけっこういいブランドの

だし。これはさすがに、親も呆れるレベルだわ）

ブツブツ頭の中で考える。でも、おかしくて笑っちゃう。

（変わってないなんてうそだよ、すごくカッコよくなったよ！　カッコかわいいっていうのかな）

クスクスと笑いながら、心の中でこっそり陸に話しかける。

夕焼けが、ふたりの背中を優しく押す。心の中が、ふんわり茜色に染まっていた。

♥episode - 19

君に好きだと言いたくて

「楓くん、好き！」

学校からの帰り道、銀杏並木を歩いているところで、見知らぬ少女から声をかけられたかと思えば、突然告白された。

「えーと、君はだれだっけ？」

薄紫色のワンピースを着た少女は、小学生くらいに見える。僕はひとりっ子だから、小学生の知り合いはいないし、近所でも見かけたことのない子だ。

「わたしは風花。楓くんのことが大好きだから会いにきたの」

「人ちがいじゃないかな？ 僕は君のことをまったく知らないし、君に好かれるようなことをした覚えもないし」

「わたしが楓くんをまちがえるわけないよ。牛乳の大嫌いな楓くんでしょ？」

「……なんでそんなこと知ってるんだよ」

たしかに僕は牛乳が大嫌いだ。においも味も苦手で、飲むと気分が悪くなる。でもなんでそれを見知らぬ少女が知っているのだろう。

「秘密～。じゃあまた明日も会いにくるね」

「は？　え、ちょっと待ってどういうこと？」

少女は僕の言葉に答えることなく、スキップをしながら銀杏の木の間を抜けていってしまった。

「いったいなんなんだ……」

何がなんだかわからないまま、息を吐く。なぜかなつかしいにおいがしたような気がした。


「こんにちは、楓くん」

次の日も風花と名乗る少女は銀杏並木に現れた。今日はピンク色のワンピースを着ている。

「また君か。てことは夢じゃなかったってことか……」

見知らぬ少女に好かれるなんて、夢でも見たのかと思いたかったのだ。

「何を言ってるの？　楓くんって歩きながら夢を見るの？　ピアノ以外にも特技があるんだね」

「ピアノ？」

その単語を耳にした僕の胸がちくりと痛む。この子こそ何を言っているのだ。

「楓くんのピアノ好きだったなぁ。ねえ、また聴きたいな。弾いてくれる？」

「ピアノなんて弾けないよ。やっぱり人ちがいじゃないかな」

僕はこれ以上何も話したくなくて、彼女を置いて走った。ふだんなら走るのは大嫌いなのに、逃げるように全速力で家まで走り続けた。

どうしてピアノのことまで知っているのだろう。

僕は小学二年生の一年間を祖母の家で過ごした。父が単身赴任で県外に行ってしまい、母は母で仕事が忙しくなり家を空けることが多くなったからだ。若いころにピアノ講師をしていた祖母の家にはピアノがあり、僕は祖母からピアノを教えてもらっていた。

「楓は上手ね。おばあちゃんもうれしいわ」

「おばあちゃん、明日は別の曲を教えてよ」

ピアノとの相性がよかったのか、両親が不在のさびしさを埋めるのにピアノがちょうどよかったのか、当時の僕はピアノに夢中になり毎日のように弾いていたのだ。でもそれは昔のことで、今はちがう。ピアノはもうずっと弾いていない。それなのにあの子はどうしてピアノを弾いていたことを知っているのだろう。学校の友だちだって僕がピアノを弾けることは知らないのに。

「楓くん、もしかしてピアノはもう弾いてないの？」

次の日も風花は現れた。銀杏の木の下で、僕が通るのをまるで待っていたようだ。黄色いワンピースの裾をぎゅっと握って、今日は遠慮がちに僕の横に並び、問いかけてくる。ふわりと香ったにおいがまた僕をなつかしい気持ちにさせる。

「……弾いてないよ」

ピアノは止めてしまった。祖母が死んでしまったからだ。大好きな祖母を思い出すのがつらいから、もうずっと鍵盤をさわっていない。あの夢のように楽しかった時間はもう存在しないのだと認めたくないのだ。

「お花の世話は……？」

「え？」

風花は少しさびしそうに僕を見上げている。

「ほんとに、なんでそんなに僕のことを知ってるんだよ。僕は君のことを全然知らないのに」

「楓くんのことが大好きだからなんでも知ってるんだよ」

「全然答えになってないし」

「ねぇ、お花の世話もしてないの？」

「それは……家の庭に小さな花壇があるから少しだけ、ね……」

「そうなんだ。よかった。うれしい」

どうしてそれがうれしいのかわからないけれど、風花は心底うれしそうに笑っている。

「それじゃあまた明日ね！」

「え？　ちょっと……」

銀杏並木の終わりまで来ると、風花はまたスキップしながら去ってしまった。あのなんだかなつかしさを感じるにおいだけが僕のまわりに残っている。


祖母の家の庭には大きな花壇があって、祖母は丹精こめて花の世話をしていた。だから自然と僕もそれを手伝うようになり、花の名前を覚えるようになったのだ。

「おばあちゃん、これはなんていうお花？」

「これは、フロックス。花言葉は『協調』。みんなと仲良くするってことだね」

「フロックス……あとで図鑑で調べてみるよ」

祖母は植物図鑑も買ってくれたから、庭の花だけでなくいろんな草花について詳しくなったのだ。僕の家の庭は祖母の家の庭ほど広くないけれど、小さな花壇があって、僕が種をまいて毎日水やりをしている。でもそれは両親しか知らない僕の趣味のはずで、どうして風花がそれを知っているのだろう。

「そういえば、あのにおい……おばあちゃんの家の庭のにおいに似てるかも」

風花が現れるとふわりと香るにおいがなんだかなつかしい気がしたのは、そのせいかもしれない。彼女の家にも立派な庭があるのだろうか。

その翌日も風花は銀杏並木に現れ、僕のことをあれこれと聞いてきた。まだ卵焼きは甘い派なのかとか、バニラアイスも好きだったよねとか、個人情報がダダ漏れだ。いったいだれから聞いたのだろう。

「まさか父さんか母さんの知り合いの子どもとか？」

「楓くんのお父さんにもお母さんにも会ったことないよ。どんな人なの？」

「そうなの？　ますますわけがわからないな……。父さんは普通のサラリーマンで、母さんは紅茶ソムリエで、小さいけど紅茶専門のお店をもってるよ」

「そうなんだね」

「風花ちゃんはどこで僕のことを知ったの？」

「ナイショ」

「僕のことが好きなのに？」

「うーん、じゃあ楓くんがピアノを弾いてくれたら教えるね」

「それは……もうピアノは弾かないから無理だよ」

祖母が死んで、ピアノは祖母から母さんが引き取ったから今は家にある。時々母さんが弾いてるみたいだけれど、ピアノはカバーがかかっていて荷物置きみたいな扱いをされてるだけだ。

「楓くんのピアノ、好きなのになぁ」

風花は祖母の家の近くに住んでいたのだろうか。でもあのころは風花はまだ生まれていないはずだからおかしい。

「またね、楓くん」

白いワンピースの裾をひらひらとさせて、風花は去っていく。彼女の背中を見送るのが僕の日課になりつつある。


「ねえ、楓くん。ピアノを弾いてほしいな」

「しつこいなぁ。もう弾いてないんだってば」

今日も風花は僕の姿を見つけるなり、そう言って僕を困らせる。

「一曲だけ。一曲だけでいいからお願い！」

「そう言われても……」

「そしたらもうしつこくしないし、楓くんを困らせたりしないから。ね？」

たしかに、あれから毎日のようにピアノを弾いてと頼まれ、うんざりしはじめていたところだ。一曲だけ弾いて風花があきらめてくれるならそれもいいかもしれない。

「……わかったよ。一曲だけな」

「わーい！　ありがとう」

風花はその場でくるくるとまわった。薄紫色のワンピースの裾が広がってまるで花のように見えた。

「ほら、置いていくぞ」

しかたなく風花を家に連れていくことにする。

「楓くん、大好き！」

スキップをする風花を横目で見て、なんだか気が抜けてしまった。僕がピアノを一曲弾くと言っただけでこんなにうれしいものだろうか。

『楓、すっごく上手ね』

不思議と祖母の笑顔を思い出しても、以前ほどつらくない。むしろ胸がじわっとあたたかくなったような気がする。変な気持ちだ。

「よかった。母さんがたまに弾いてたから調律は狂ってないみたい」

家に着いて、奥の部屋にあるピアノの前に立って久しぶりに鍵盤に触れた。ポーンという音が血液を伝って全身に伝わるような感覚がする。風花は、窓際に用意した椅子にちょこんと座って、目をかがやかせて僕を見ている。

「ずっと弾いてないから下手くそでも笑うなよ」

「楓くんのピアノを笑うわけないよ」

深呼吸してから大好きだった曲をゆっくりと弾きはじめる。指が覚えていたのか、思っていたよりスラスラと弾けた。

そして、僕が弾きはじめると、窓は閉めていたはずなのに、なぜか心地よい風が吹きこみ花の香りに包まれた。不思議に思って窓に視線を向けると、窓が開いて庭に花が咲いている様子が目に飛びこんできた。一月のこの時期に咲く花は何も植えていないはずなのに、いったいどういうことだろう。それに、ふと気がつけば風花の姿がなく、椅子の上には花びらが落ちていた。

「この花びら…庭の花も……アネモネだ」

そこでようやく思い出した。祖母のいちばんのお気に入りの花はアネモネだった。あのころ、祖母と一緒にアネモネの世話もしたっけ。薄紫、ピンク、赤、黄色、白……どれもかわいらしくて僕も大好きな花だった。

「え……？　アネモネの色……風花ちゃんが着てたワンピースと同じだ……」

風花はいつもワンピースを着ていた。花のようにヒラヒラと舞うスカートの裾が脳裏によみがえった。椅子に落ちていた花びらを見つめる。薄紫色のそれはさっきまで風花が着ていたワンピースと同じ色だ。

「……あの庭で咲いていたアネモネだったのか。どうりで僕のことをよく知っているはずだ」

あのなつかしさを感じるにおいは、アネモネの花のにおいだったのだ。

『楓くんのピアノが大好きだったの』

その言葉に嘘はなかった。祖母の家の、あの庭で風花は毎日のように僕のピアノを聞いていたのだから。

「思い出したよ。風花ちゃん。紫のアネモネの花言葉は『あなたを信じて待つ』。だからあの日、君はあのワンピースを着て僕に会いにきてくれたんだね」

そして今日の彼女も同じワンピースを着ていた。今日こそ僕にピアノを弾かせようとして、君なりの願かけで薄紫のワンピースを着たのだろう。

花びらをそっと手のひらに置いて、ありがとうとつぶやく。そういえば、アネモネは英語で『ｗｉｎｄ ｆｌｏｗｅｒ』だった。

「風花ちゃん。君は最初から正体を明かしていたわけか」

庭に咲いたアネモネが、うれしそうに笑って風に揺れていた。

● 執筆担当

麻井深雪（あさい・みゆき）

愛知県出身。2012年『ハッピーエンドは何処にある？』（主婦の友社）でデビュー。現在は小中学生向けの物語を中心に執筆中。著書に「霧島くんは普通じゃない」シリーズ（集英社みらい文庫）、「恋愛寮においでよ☆」シリーズ、「制服」シリーズ（以上、ポプラ社）などがある。

萩原弓佳（はぎわら・ゆか）

大阪府出身。著書に5分間ノンストップショートストーリー『魔法の国の謎とき屋』『夢見せバクのおまじない』（以上、PHP研究所）、『食虫植物ジャングル』（文研出版）などがある。

長井理佳（ながい・りか）

童話作家、作詞家。著書に『黒ねこ亭でお茶を』『黒ねこ亭とすてきな秘密』（以上、岩崎書店）、『まよいねこポッカリをさがして』（アリス館）、『ねこまめ』（あすなろ書房）ほか。作詞に『山ねこバンガロー』『行き先』『野原の上の雨になるまで』などがある。自宅で『Gallery 庭時計』を運営中。

村咲しおん（むらさき・しおん）

愛知県出身。会社員をしながら作家もしている。女性向けアンソロジーに作品多数掲載。『ラストで君は「まさか！」と言う』シリーズ（PHP研究所）にて児童書へと活躍の場をさらに広げる。

装丁・本文デザイン　根本綾子（Karon）
カバーイラスト　ふすい
本文イラスト　もりょ
DTP　山名真弓（Studio Porto）
校正　株式会社夢の本棚社
編集制作　株式会社童夢

3分間ノンストップショートストーリー
ラストで君は「キュン！」とする　涙の告白

2023年2月6日　第1版第1刷発行
2025年3月6日　第1版第2刷発行

編　者　PHP研究所
発行者　永田貴之
発行所　株式会社PHP研究所
東京本部　〒135-8137　江東区豊洲5-6-52
児童書出版部　TEL 03-3520-9635（編集）
普及部　TEL 03-3520-9630（販売）
京都本部　〒601-8411　京都市南区西九条北ノ内町11
PHP INTERFACE https://www.php.co.jp/
印刷所・製本所　TOPPANクロレ株式会社

ISBN978-4-569-88089-1

NDC913　191P　20cm